「首里手」の構造解明の極

KYOKU

島田　憲

はじめに

　「沖縄は空手発祥の地」と言いながらも沖縄空手家は「首里手」の構造を知らず、知ろうともしない。昔から「型は実戦で使えるのか」の声をよく聞くが、型挙動に対する疑問からこの質問が出るのであろう。つまり沖縄空手家の、挙動の外形が即、「技」そのものであるという錯覚から、この疑問は出ているのである。

　そして「『ナイハンチ』は『首里手』の基本である」とは、「ナイハンチ」が何の技術であるのかを知らないから言えるのであり、武術の構造を知らないが故に、言いたい放題がまかり通っているのである。

　沖縄空手家が挙動の構造に無頓着なのは、空手普及の為の広報活動にのみ営々役々（えいえいえきえき）とし、道を追求する一修行者としての自覚を持たないからである。

　今回は前著の説明法を反省し、多くの購読して頂いた武術愛好家に対し謝意を表し、「首里手型」を徹底的に解剖した。本稿を一読すれば「空手発祥の地」を宣伝し、世界無形文化財登録を目指す活動が如何に愚かで無謀な行為であるかが分かろう。世界文化遺産に登録すべきは空手ではなく、琉球舞踊のほうである。

　空手家は琉球舞踊に身体運用法を学ぶべきであり、それを理解できねば武術家としての大成は望めない。「空手」という稚拙な格闘技しか創り出せない島に、「京太郎」（チョンダラー）という高度な運動法を用いる琉球芸能が存在する事が不思議でならない。

2020（R2）

太極拳家　島田　憲

1

目　次

第二章　型解説

第一章　「首里手」の構造解明の極

1 「沖縄の空手」とは────────

　「空手発祥の地、沖縄」の語を疑う者はいないが、何故か空手型は基本から最終型に至るまで、型名称は日本語どころか沖縄方言ですらなく、全てが中国語である。しかし、型名称の意味を知る者はなく、文字として残るのは琉球人ではなく土佐人による『大島筆記』に於ける「公相君（クーサンクー）」という人物名のみである。型名称が中国語であれば、中国人により伝えられた技術であると考えるべきであるが、その意味は伝わらず音のみが伝わったという事は、伝えた中国人との会話は不通であったと考えるべきであろう。

　筆談さえも行なわれていなかったと考えられる事から、外形だけが真似られ、技術説明はなかったものと思われる。往時の琉球武人達は、会話不通であろうとも外形を真似さえすれば武技が得られるものであると錯覚していたという事であり、その外形のみを連綿と伝承し続けてきたのが沖縄空手のレベルなのである。

　外形だけから技術を得る事が可能であるとすれば、その技術レベルは野球投手の投球フォーム程度という事になる。因みに、運動法の説明なしに琉球舞踊がマスターできようか。

　型名称は中国語であるが、挙動名は何故か「正拳中段突き」や「手刀受け」のような日本語であり、「沖縄発祥」と言いながらも、沖縄方言による表現は一切存在しない。

　沖縄空手には、剛柔流、上地流、ショウリン（小林、少林、松林）流の三大流派が存在するが、その発祥年代は左程古くはなく明治時代である事から、琉球王朝時代に体系化された空手技術は存在しなかったと考えられる。

　剛柔流空手は1877年（明治10）、中国福州へ渡った東恩納寛

6

量（1853〜1915）が十数年間の拳法修行の後に持ち帰った技術を元に、宮城長順（1888〜1953）が改編し創作した技術であり、上地流は上地完文（1877〜1948）が寛量帰国2年後の1897年（明治30）に中国へ渡り、明治42年に持ち帰った技術であるから、中国拳法の技術である事は間違いないが、共に沖縄に於ける普及は百年程度でしかない。これはスポーツ柔道が1882年（明治15）の誕生である事と比較すれば左程、古い武道とは言い難く、柔道同様の西洋式運動法を用いた、近代スポーツ運動法で構築された技術であると考えて良い。故に、外国人にもマスターが可能なのである。

　沖縄空手が「古伝」、「空手は沖縄発祥」、「歴史と伝統」を標榜する根拠は「ショウリン流」の原型である「首里手」の存在にあり、江戸時代以前から沖縄に存在した唐手とは、この「首里手」のみであると主張するが、琉球人は中国拳法以前に「手（ティ）」という琉球人作の素手武術が存在したと主張する。

　薩摩支配下の時代、武器所持を禁じられた事から素手武術が発達したという説や、或いはその起源は更に古く、鎌倉時代以前の琉球戦国時代の戦場に於いて、鉄器が存在しない事から生まれた闘技が原型であるとする説もある。

　しかし、「首里手」の開祖と言われる松村宗棍武長が1809年（文化6）の出生であるから、「首里手」と言えども明治維新20〜30年程前の成立と考えられ、「剛柔流」、「上地流」の成立と半世紀程度の隔たりしかないことから、「薩摩武士対策の為、夜陰に紛れて拳を磨き……」の説は当たらない。

　「首里手」に対し、現代では「小林流」「松林流」「少林流」の文字を当てているが、本稿では「首里手」と「泊手（とまりて）」に技術的相違のない事から、正確には「泊手」の流れに含まれる「松林流」も、「首里手・ショウリン流」として扱う。

2 「手（ティ）」の設定───────────

　沖縄空手家はそのアイデンティティから、琉球人創作による素手武術の存在にこだわり、琉球人作の素手格闘術「手（ティ）」が中国拳法渡来以前に存在したと主張するが、この「手（ティ）」の存在提唱の代表が、嘗ての沖縄空手道界の重鎮、沖縄空手道連盟初代副会長、松林流開祖、長嶺将真（1907〜1997）である。

　氏は自著に於いて程順則（ていじゅんそく）の琉歌や、屋嘉比朝寄（やかびちょうき）の「十番口説（じゅうばんくどち）」にある「手墨学問（テシミ）」の「手墨」の語に着目、「この『手墨』の『手』こそが、琉球武術『手（ティ）』の存在を示しているのでは」とのコジツケ解釈をする。

　14世紀の琉球戦国時代の戦場に於ける格闘技として、素手武術「手（ティ）」なるものが存在したと主張する空手家が居るが、これは「素手武術」と「武器術」との運動法の違いを知らぬから言える事であり、両者を混同して解釈した結果が、「首里手・ショウリン流」の致命的欠陥である。

　「小林流」R館代表N氏は、琉球戦国時代、既に戦場に於いて素手武術が存在したと主張し、「手（ティ）を知らずして空手を語るなかれ」と豪語、「『手』なるものは、戦場にて主武器が損壊した場合の備えとして修得していた技術である」と述べ、「当時、琉球は鉄の文化を持たず、所持していたとてせいぜいが棍棒程度で、主たる武器は棒、サイ、ヌンチャク、トゥンファであった。鉄が無いというこの特殊な事情が素手による闘争を……云々」と述べる。

　鉄の無い時代にサイなど存在する筈はなく、氏は「主たる武器が棒、サイ、ヌンチャク、トゥンファ」であったと述べるが、

武道家でありながら、サイ、ヌンチャク、トゥンファという短武器の操作法と、棒などの長柄の武器操作との身体運用法の違いを理解できないのである。

これが原因で「首里手・ショウリン流」空手家は、「パッサイ」や「公相君」に於ける中国拳法挙動と棒術挙動とのゴチャ混ぜ設定に気付けない。

現代武道家の、この程度の武術認識レベルから判断し、嘗ての琉球人に「手（ティ）」という武術創作は到底不可能であったと考えられる。

こういう単純思考法が「首里手・ショウリン流」の型創作法や挙動解釈法に悪影響を与えており、「手（ティ）」の呪縛により、型挙動をどこまでも素手武術として解釈しようとする為、大袈裟な動作の棒術挙動に強引に素手武術挙動名を付け、使用不可能な珍技の創出となっているのである。21世紀に至るも「隠し突き」や「左右突き」、「髷取り払い受け」などという珍挙動を放置する民族に、「手（ティ）」などという素手武術が創り出せる筈はない。

戦国時代の兵とはプロの戦闘集団ではなく、平時は農民であり、その時代に武技というものが存在したとすれば、農作業という肉体労働の傍ら、戦闘の為にサイ、ヌンチャク、トゥンファのテクニックを磨いていた事になるが、当時の農民が現代人のジム通いのように、ワザワザの難儀を行なっていたと考えられるであろうか。

戦場にて武器が損壊した場合を想定し、明日の命も分からぬ戦国時代の日々に己の身体を痛めつけ、素手により身体を守る為の訓練を行なっていたとするのは、平和ボケした現代人の発想でしかない。

3 武器術運動法と素手武術運動法との違い──

「首里手・ショウリン流」の最大の欠陥は「手(ティ)」の設定により、首里手を剛柔流や上地流と同様の素手武術と解釈した事にある。

来るもの拒まずのチャンプルー精神にて、流れ来たる中国人技術のルーツにこだわることなく、アレもコレもをゴチャ混ぜに吸収した結果、技術構造に一貫性のない、寄せ集めの「モザイク拳法」が出来上がったのである。「剛柔流」や「上地流」は中国南方のルーツである事から素手武術である事に間違いはない。

その基本の型が正面方向へ正対し、前方へ移動する事からもそれは分かる。両腕個別使用の運動法である為、脊椎を軸とした腰の回転運動の利用で正面方向へと移動するが、「首里手」の基本の型「ナイハンチ」はこれとは異なり、「カニの横歩き」運動で移動し、両腕同時同方向運動を行なうが、これは長柄の武器術の特徴である。詳しくは後述するが、「首里手」は中国南方の技術だけで構築されている訳ではなく、北方武術も導入されている事は型挙動の運動法から明らかである。

中国武術の運動法について大まかに説明する。中国人は四千年以上の昔から殺し合いを続けてきた民族であり、故に様々な戦闘技術が創り出された。戦闘の舞台は黄河流域であり、主武器は長柄の武器で、馬に跨り長大な武器を振り回して戦う姿は、「三国志」などで馴染深い。

故に「少林拳」は棒術である「少林棍」に始まり、「八極拳」は六合大槍と呼ばれる4メートル近い長大な槍の技術が基本となっており、「太極拳」も槍の技術から生まれた。つまり、中

国北方武術の場合、長柄の武器術の身体操作法が時代の変遷と共に素手武術へと変化したのである。

　戦闘に追われた人々は南方へと避難し、集団戦の必要のない時代の到来と共に、長柄の武器術は携帯に便利な護身用の短武器術へと変化した。これがサイ、ヌンチャク、トゥンファの技術である。長柄の武器術は両腕で一つの武器を操作する目的から、両腕を同時に同方向へと運動させるが、短武器術は両手に武器を持ち、両腕を個別に扱う。

　この操作法から「剛柔流」や「上地流」の源流となる素手武術が生まれ、その技術が沖縄へと流れ込んだのである。

　「首里手」の場合、北方の長柄の武器術を強引に素手武術として解釈している事は「ナイハンチ」の横歩きや、「チントウ」の横構えからから分かるが、何が何でもの「手（ティ）」の設定意識から、流派の基本たる「ナイハンチ」が長柄の武器術型であるにもかかわらず、素手武術型と解釈した。

　更に素手武術としての「首里手」創作の為に、中国拳法の「猫足立ち」を採用したが、これは明らかな素手武術である「剛柔流」と同様の立ち方である。

　「猫足立ち」は前足が爪先立ちである為、前足への重心移動はできないが、それにも拘わらず両腕同時同方向運動の棒術動作を適用した。その際、棒を握った片側の腕を、素手術の「引き手」として解釈したが、棒を両手で握り体前に構える事と、棒術構えの片腕を「引き手」として解釈する事とは、全く異なる運動法を生み出す。これが「首里手・ショウリン流」の決定的な失敗である。

　因みに、一つの武器を両手で握るとは、上体が閉じた姿勢、身体を一つに纏めた姿勢という事であり、この運動法に上体捻じり行為は存在しない。これは両手による拳銃使用の場合も同

様である。刑事ドラマなどで、両手で拳銃を握り移動する場合、腰が捻じれず、不自然な移動法を行なう筈だ。素手武術解釈に於ける腰への「引き手」設定は、両腕開き分け行為による上体を開いた姿勢であり、後方重心の居着き姿勢を創り出し、移動が困難となる。

　沖縄空手家はこれに気付けず、下半身は腰の捻じり運動を前提とした素手武術の「猫足立ち」を用いながらも、上半身は腰を捻じる事のない両腕同時同方向運動の棒術動作を設定し、挙動説明文に「構えのままに寄り進み」の語が見受けられる。長柄の武器術構えとは「ナンバ姿勢」の事であるが、この「構え」については後述する。

4　「型挙動」解釈法────────────

　「型」は「挙動」の外形を並べたものではない。

　挙動完了姿勢、例えば「ナイハンチ初段」の「第1挙動、結び立ち」「第2挙動、交叉立ち」「第3挙動、裏手刀受け」「第4挙動、肘当て」等の挙動完了写真を並べれば「型」が打てる訳ではあるまい。「型」は「挙動」から「挙動」への運動法、動き方の要領を示すものであり、「カタチ」を示すだけであれば、動く必要はない。

　しかし、「首里手・ショウリン流」は運動終了形である挙動完了姿勢を「技」そのものであると解釈するが、これは武器術の影響である。武器術は武器そのものが仕事をする故、使用法はあまりこだわらない。

　複雑な運動法を用いて武器を振り回している訳ではない為、武器を握った腕の伸ばし方、曲げ方、腕の回転の要領、緩急の

12

有無、体幹部と下半身との繋がり等を意識する事はない。それは現代剣道競技の「素振り練習」を見れば分かる。振り下ろせばよいのであり、「振り下ろす為の特殊な運動法」というものは存在しない。剣の威力創出法は、薩摩示現流の「立ち木打ち」の様な、繰り返し運動による筋力アップしかなく、如何にして素早く相手に踏み込むかの体移動が全ての「ヨーイ」「ドン」の世界である。

　しかし、素手武術には武器が存在しない為、突き出し行為を可能にするエネルギーを己の体内に創り出し、それを相手の位置まで運ばねばならないが、空手家は移動スピードだけが突き技の威力であると錯覚し、武器術的思考法を用いている。

　故に、予備動作を設定せねば威力が創り出せないのであり、現代スポーツ同様、「振り被らねば」「投げられない」のである。「型演武」を一人で行なう単独演武法式は、中国拳法の特徴であり、拳術型や槍術型が組打ち法式で創られている事と異なるのは、「型」が戦闘方法の要領を示しているのではなく、戦闘の為の武器の「創り方」「運び方」の要領を示しているからであるが、空手家は目に見えるものしか認識できない為、素手武術に於ける「武器」の存在に気付けない。

　その原因は、現代スポーツ教育の筋トレ思想にあり、身体が筋肉の塊となっている為、身体意識が粗く、停止姿勢のままで身体内部にエネルギーを立ち上げるという事ができない。アニメ「ドラゴンボール」に、スーパーサイヤ人がエネルギーを立ち上げるという場面があるが、「ドラゴンボール」は誇張だらけであるも、全くの絵空事でない事は、中国人気功師達も認めている。

　素手武術の場合、運動法だけではなく、強健な身体の創出法、それを用いる運動法の獲得、更に「技」を行なう為のエネルギー

の立ち上げ法までを学ばねばならないが、武器操作運動法に慣れてきた者にはその辺りが理解できず、体当たり的に移動し、打突部分を当てさえすれば素手武術になると錯覚しており、その結果沖縄空手は、挙動完了の停止姿勢の正確さだけに拘る芸能素手武術となっている。

型名称が中国語であれば、中国拳法の亜流である事を認めるべきであり、そうすれば中国拳法の運動法から正しい挙動解釈法を学び取る事も可能であった。

琉球人のアイデンティティから沖縄発祥の素手武術にこだわり、中国拳法を否定してきた為、原型を知る事ができず、挙動名の矛盾にも気付けなかった。

韓国テコンドーは沖縄空手型を真似るという愚を犯した為、「ピンアン」の型の運動法までを真似、一挙動ごとに停止姿勢を創り出し、「ドッコイショ」「ドッコイショ」運動の型演武を行なう。沖縄空手の欠点を知るには参考になる。

5 「ナンバ（側対歩）」について───────

「ナンバ運動法」については前著でも説明したが、この運動法が沖縄空手に悪影響を及ぼしている為、繰り返し説明する。

「首里手」は琉球王国時代の首里武士が創ったとの説がある為、空手作者である首里武士の日常生活の運動法が如何なるものであったかを明確にせねば、空手型に於ける運動法の矛盾を理解できない。

「首里手」の開祖と言われているのが首里武士である松村宗棍であるが、士族の履物とは下駄、草履であった。しかし一般庶民は裸足であり、これは琉球舞踊の「雑踊り」を見るまでも

なく、太平洋戦争の沖縄戦終結時、避難壕から出てくる難民の姿を見れば一目瞭然であり、島民の殆どが裸足で、沖縄人が1945年（昭和20）まで、裸足生活をしていた事が分かる。

そして、履物を履いて生活をしていた士族階級の者と、生来、裸足生活だけを送ってきた一般島民との運動法に違いが生じるのは、当然の事なのである。

草履使用の場合、スッポ抜ける事を避けようとズルズルと踵を摺って歩く行為は、相撲力士の場所入りの姿からも分かる。

更に、民俗資料館に遺る「草鞋（わらじ）」と、現代のビーチサンダルを比較すれば、その構造の違いから身体運用法の違いを知る事ができる。ビーチサンダルは底面の先端から足指がはみ出るという事はないが、草鞋は先端から足指がはみ出る構造となっており、底面上に足指は載らない。これについては、テレビ時代劇に於ける、旅人の旅籠への投宿場面でそれを見る事ができるが、足指がはみ出す構造の理由は、足指の使用がない為、保護の必要がないからである。

この歩法も、琉球舞踊「かぎやで風」の歩法から理解できる。つまり古式の歩法とは、足を蹴らず、蹴り出さずの運動法であり、この「引きずる」「摺り足で歩く」という歩法を「ナンバ歩き（側対歩）」というが、この歩法の結果、上体が捻じられるという事はない。

足指で地面を蹴って進む為、上体は捻じられるのであり、これが現代人の歩法であるが、「ナンバ歩法」は上体が一枚の板の様に正面向きのままで、腰が捻じられるという事はない。この運動法で「首里手・ショウリン流」の「型」は行なわれている。

以上の事から、首里手型「ナイハンチ」が、誰が創った型なのか、「ナイハンチ」以後の「猫足立ち」運動法を用いる「パッサイ」等の型と比較し、「ナイハンチ」を「首里手の基本」と

捉える事が是か非か考えるべきである。

　「ナンバ運動法」は「薙刀競技」で明らかであるが、その運動法の違いを認識できない沖縄空手家は、無謀にも「ナイハンチ」を上体捻じり行為で行なっており、それは大御所、知花朝信、長嶺将真の「ナイハンチ初段・第四挙動・左肘当て」実演写真の上体捻じり姿勢に明らかである。

　「ナンバ式歩法」については、時代劇映画、山田洋二監督作品「秘剣・鬼の爪」で、幕末の東北地方の小藩に於いて「ナンバ歩き」のサムライ達に、フランス式行軍教練を施そうと四苦八苦する教官の姿から理解できる。

　「首里手」の開祖と言われる松村宗棍が、薩摩示現流を短期間にて修得できたという事は、宗棍は日本のサムライ同様、「ナンバ式運動法」を用いていたという事である。

　つまり、「パッサイ」などの「猫足立ち」で上体を捻じる運動法を用いる「首里手型」が、「ナンバ運動法」を用いる宗棍に創れる筈はなく、「首里手・ショウリン流」を素手武術として捉える限り、松村宗棍は「首里手」の開祖ではないと言える。

　琉球王朝時代以前、「ナンバ式運動法」を用いていた首里武士に、脊椎を軸に腰を回転させる中心軸操作の素手格闘技「空手」を創り出せる筈はない。

　次に、「ナンバ式運動法」を用いる士族に対し、裸足生活の琉球一般島民は、アフリカやパプアニューギニアの住民同様、地面を蹴る事が可能で靴使用の中国人の運動法に近い為、中国直輸入の武技を真似る事は士族より有利であったろう。

　「ナンバ式運動法」の士族にとっての「素手武術」は原型の

ままでの修得が困難であった為、馴染みのある武器術理念を適
用し、士族風にアレンジする必要があったのであろう。つまり
中国輸入の中心軸操作の素手武術を、「ナンバ式運動法」の棒
術動作にアレンジしたのが「首里手」であり、素手術の中心軸
操作の運動法と、棒術の「ナンバ式運動法」とをゴチャ混ぜに
した挙動を創作した為、どっちつかずの武術型ができあがって
しまったのである。

6 「首里手」の歴史————————————

　琉球の武術史は14世紀の「久米三十六姓」の「ナイハンチ」
に始まると言われる。
　既述の如く首里士族が「ナンバ歩き」をしていた事から、士
族たる松村宗棍の「首里手開祖」論は信用できない。
　薩摩侵攻以後の記録に、琉球の素手武術「手（ティ）」に関
する記録が一切遺らない事から、1392年の久米三十六姓からの
350年間、琉球に武技と呼べる程の「素手武術」は存在しなかっ
たと考えられる。
　「素手武術」に関する記録は1762年、薩摩に向かった琉球使
節団の船が暴風雨により土佐に漂着、その時の役人、戸部良熙
による大島での漂着民への取り調べ調書、『大島筆記』が存在
するのみである。
　難民は琉球の文化、風俗習慣について語ったものと思われる
が、同書に1756年来琉の「公相君」に関する既述がある。恐ら
く琉球の武術についての質問について答えたものと思われる
が、難民は公相君という中国人の武術演武の模様を説明してい
るだけであり、武術指導があったとも、琉球に於ける武術の存

在についても語っていない。恐らくこの時琉球人が目にしたものが、琉球人にとっての最初の素手武術であったと思われる。「公相君」後、棒術しか存在しない琉球に、先ずは民間ルート、商業ルートにて中国南方の素手格闘技が断片的な形で伝わり、大いに持て囃（はや）されたものと思われる。

　しかし、首里武士は習慣的な運動法の違いから、一般島民のように素手格闘技を巧く身に付ける事ができない。そこで長年馴染（なじ）んできた棒術動作で行なえば素手武術になるであろうと、短絡的に考えたのであろう。

　素人考えを用い、棒術動作で素手武術をアレンジした為、移動法、攻撃法の全てが棒術的に行なわれる事になったのが「首里手」であるが、突き出した両拳の位置が揃わない「ナイハンチ・双手突き」や、「猫足立ち」ながらも上体を捻じらず、構えのままに寄り進む「パッサイ・猫足立ち・双手突き」がその良い例である。

　19世紀、佐久川寛賀が中国でサイ、トゥンファ等の短武器術を学び帰国するが、佐久川が琉球士族で棒術の達人であれば、中国産の短武器術を原型のままで輸入する事は不可能であったと考えられる。

　次に、幕末から明治にかけての武人で「首里手の開祖」と言われるのが松村宗棍であるが、既述のとおり「ナンバ動作」の宗棍の素手武術創作は疑える。

　宗棍の弟子の筆頭、糸洲安恒（いとすあんこう）は明治維新時35歳であるから、糸洲もまた両腕を振って歩く事も、走る事もできない「ナンバ人間」であったという事になるが、糸洲は唐手を学校教育に採用するよう、県学務課へ運動している事から、己の身体運用法と、文明開化により学校教育へ導入された西洋式軍隊教練法により教育された学生たちとの運動法との違いを、認識していな

かった事になる。

　その糸洲の弟子が、沖縄空手を日本本土へ伝えた船越義珍であるが、現代に遺る船越の演武動画を見れば、糸洲による弟子への指導レベルが良く分かるが、一言で言えば「芸能」である。

7　首里手型「ナイハンチ」について───────

　「ナイハンチ」は「首里手の基本」と言われているが、無論、何等かの技術的根拠からの説ではなく、実際には「ナイハンチ」が何の技術であるのかを知らずにおり、「ナイハンチ」を「首里手の基本」とした事が「首里手・ショウリン流」の混迷の原因である。

　日本に於ける南北朝合一、足利氏の室町幕府が創られた1392年頃、群雄割拠の琉球戦国時代に来琉した中国人「久米三十六姓」によってもたらされた技術であるとの事であるから、時代的背景から考え、「ナイハンチ」が素手武術である筈はない。戦国時代の異国への素手武術土産（みやげ）は無意味であろう。必ず、槍か棍の技術が存在した筈だ。

　「ナイハンチ立ち」は両足均等重心姿勢である為、腰は捻じれず、「第4挙動・肘当て」や「第7挙動・かぎ突き」のように反対側の腕による行為、つまり「逆突き」行為は、腕を目線方向へ突き出す事はできない。

　「横歩き行為」の外形は捉えようとも、何を目的とした「横歩き」なのかを理解しようとしない為、後ろ足の力で身体を進行方向へ押し出しているのか、進行方向側の足の力で反対側の足を引き寄せているのか、或いは膝の抜きで歩いているのか等、身体運用法が全く解明されていない為、日常生活に於ける

通常歩法を用いて武術型を行なっているのが現状である。

　「歩法」が分からなければ、挙動の意味は更に理解できない為、長嶺将真のような「『ナイハンチ』は実践的な型というよりも、鍛錬目的の型である」との突き放した解釈法がまかり通っている。つまり、「首里手の基本」とは筋トレであるという事になる。

　「ナイハンチ」が横歩きである事と、両腕同時同方向運動である事から、棒術型である事に気付くべきであり、「第三挙動・裏手刀受け」などの両腕を左右に開き分ける運動法は、挙動そのものではない事を知るべきである。

8　「立ち方」と「突き方」

　「首里手・ショウリン流」空手家は、どの様な「立ち方」が、どの様な「突き技」を可能にするのかという事に捉われない。つまり、「立ち方」と「技」との関連に無頓着（むとんちゃく）である為、どのような「立ち方」であれ、如何なる方向への如何なる「技」も可能であると考えており、ボクシングのようなストレートパンチも、曲線的な振り出し行為も、アッパーのような突き上げ行為も、相手の腕を打ち落とす行為も、更には片手で突く事も、両腕で突く事も、全て「猫足立ち」という、前足への重心移動ができない、前足爪先立ちの立ち方で可能であると考えている。ボクサーに知られれば物笑いの種だ。

　更に「ナイハンチ」だけでも、横方向への「裏手刀受け」、正面方向への「外受け」、同じく正面方向への「外受け・下段払い」、正面方向への「裏拳打ち」、片手による横方向への「かぎ突き」、そして「肘当て」と、これら全てを「ナイハンチ立ち」

という、両足均等重心姿勢の立ち方で可能であると考えている
のであるから、理屈も何もあったものではない。

　この思考法は「パッサイ」挙動にまで受け継がれており、
「パッサイ」には「外八字立ち」、或いは「四股立ち」の両足
並列姿勢による、正面方向への「突き技」が設定されている。
素人ですら疑問を抱くこのような挙動が放置状態にあるのは、
空手界が、一犬虚に吠えれば群犬もこれに従うという、大御所
の意見に逆らう事のできない事大主義の世界だからである。

　「ナイハンチ」は横向きの棒術型である為、そのエネルギー
立ち上げ法が素手武術と異なるのは当然の事で、陸上競技の「砲
丸投げ」や、「やり投げ」と同じく横方向への運動エネルギー
を立ち上げる筈であるに、「ショウリン流」空手家は、バレーボー
ルのトスを上げる際と同様、上体の前後への撓り運動を利用す
る。

　この上体撓り運動によるエネルギー立ち上げ法は、「パッサ
イ」や「公相君」でも用いられる為、これが「首里手・ショウ
リン流」の基本的なエネルギー立ち上げ行為なのであろう。

　以上、「ナイハンチ立ち」や「四股立ち」、「外八字立ち」等、
両足並列姿勢の構造を理解できない「首里手・ショウリン流」
空手家の挙動解釈法の実状を述べてきたが、最も多く使用され
る「猫足立ち」という前足爪先立ちの立ち方は、当然、前足へ
の重心移動が不可能である事から、後ろ足の力だけによる「技」
や「移動」を行なう事になるが、その運動法結果が、「居着き
姿勢」や、ドッコイショ、ドッコイショの「断続挙動」を創り
出しているという事を知るべきである。

　「猫足立ち」初登場の「パッサイ」に於いて「猫足立ち」の
構造を解明できなかった為、「首里手・ショウリン流」は未だ
に移動法から「正拳中段突き」までを創作できずにいる。

9 「空手型」について────────────

　空手の単独演武法式の型は中国拳法の影響であり、故に沖縄空手は中国拳法の亜流である事が分かるのであるが、単独型演武法式とは、己の身体との対話が可能な者にのみ有効な稽古法なのであり、鏡に向かっての練習法や、敵対する相手への対処法を想定しての練習法、或いは物に身体をぶつける事が練習であると考えている者には、意味のない稽古法である。

　沖縄空手家は鏡に向かって型練習を行なう事で、挙動完了姿勢を１センチ毎（ごと）に矯正するが、これは居合道の稽古によく見られる技術が形骸化した練習法である。

　「武術型」とは挙動完了の停止姿勢を示す為のものではない。「カタチ」のみに気を取られれば、それは舞踊、芸能にしかならない。

　「武術型」とは挙動間の運動法、つまり武術的身体運用法を示す為に存在するのであるが、武術の型であるから、これを行なうに日常生活同様、予備動作付きの緩慢（かんまん）な運動法を用いてはならない。

　型に、移動のないその場行為挙動が存在すれば、その挙動を「技」と解釈する事は避けるべきである。

　素手武術型は運動法のみを示すだけではなく、「技」を行なう為のエネルギーの立ち上げ方までをも示す為、型に於ける停止挙動は、その為の行為と考えて良い。

　しかし、沖縄空手家は筋肉を鍛える事が練習であると錯覚しているため、身体意識が粗く、体内に於けるエネルギーの存在を理解できず、障害物に衝突して初めてクルマの持つ移動エネルギーを理解する事と同様、物質的身体感覚しか持たない。

「型挙動」とは、「技」の「カタチ」のみを示している訳ではなく、「エネルギー立ち上げ法」、「移動法」、「発力法」も示すが、沖縄空手家は各挙動を独立した挙動として扱い、型の流れを無視するため、前後挙動との関連が理解できず、その挙動のみで「技」を完結させる「ドッコイショ」「ドッコイショ」の断続挙動解釈を行なっている。

これは技術の伝承に口伝(くでん)による「技」の継承がなく、外形のみを真似、伝えてきた歴史と、威力のみ、筋力のみで実力を判断してきたゴリラ練習法の結果である。

沖縄空手家は中国拳法からの流れを否定したがるが、潔(いさぎよ)くこれを認め、空手の源流たる中国拳法の理念、構造、運動法を研究すれば、対策法、中国拳法からの脱却法を見つける事ができたであろうし、更に高度な空手技術を構築する事もできたであろう。

歴史上、誰が何の目的でこの技術を創ったのかと、出所(でどころ)を尋ねる事は、武術修得上、大切な事である。

例えば、ブルース・リーが登場した頃であるから40年以上も前の話になるが、日本空手道「玄和会」を主宰する南郷継正氏は、本場沖縄の空手型を見た事がないにも拘(かかわ)らず、その著書『武道の理論』に「鉄騎の型（通称ナイハンチ）」という写真を掲載し、弁証法を駆使しての武道の科学的解明に臨み、その著書は一世を風靡(ふうび)した。

そして、「有名論文雑誌『試行』誌に私の論文が掲載されたという事は、私の理論は、むこう百年間は覆(くつがえ)される事はないであろう」、「最早、如何なる武道理論といえども、私の指摘を避けて通る事はできない」と豪語したが、著書に掲載された「ナイハンチ」の写真は、とても「ナイハンチ」などではなく、更にブルース・リーの中国拳法パンチを、空手の突きと混同して

23

解釈し、ヘタクソ呼ばわりしたのである。日中国交正常化前であるから、日本人の中国武術認識もこの程度であった。

「井の中の蛙」である。己の技術に固執してはならない。技術的視野は広く持つべきであり、外界の技術をも自身の糧としなければ、技術の向上は望めない。ベストセラー作家で大の沖縄空手ファン、今野敏氏も沖縄の空手を見、自身がこれまで行なって来た本土空手との違いに愕然とし、以後『琉球空手、ばか一代』の執筆となったのである。

南郷氏の弁証法では「量質転化の法則」の適用により、繰り返し練習が技術の質を変えるという思考法を用いるが、「型練習」をいくら繰り返したとて、「千本ノック練習」とは異なり、技術が向上するという事はない。

この件については、古伝武術家、黒田鉄山氏の「ダメな稽古は、やればやる程、ダメになる」の言が正しい。正しい稽古を行なっているのかを慎重に判断すべきであり、正しい稽古であるか否かを知るために外界の技術との比較に努める事が必要である。

「手（ティ）」だ、歴史だ、伝統だ、発祥だ、などと根拠のない説に惑わされてはならない。

本稿の「型検証」は沖縄空手道連盟初代会長、知花朝信が開祖の「小林流型」と、同じく副会長、長嶺将真が開祖の「松林流」の型を、「ナイハンチ」、「パッサイ」、「チントウ」「公相君（大）」の順に行なうが、「小林流」の型挙動創作概念を知るには、先に「公相君（大）・第30挙動」を参考にしていた方が良い。

第二章　型解説

小林流・ナイハンチ初段

　「ナイハンチ」は14世紀の琉球に齎^{もたら}された型とされており、その名称からも分かる通り中国人の作であるが、作者名も、何の為の型なのかも不明であり、挙動名は全て標準語である。

　（挙動解説は昭和48年成美堂出版発行、村上勝美著『空手道と琉球古武道』を参考にした）

第１挙動　両掌帯前にて組み、「結び立ち」。

不可。空手家はこの場面、漠然と立っているだけである。「漠然と」とは何もしていないという事であり、「動き出さねば何もできない」という考え方から、「松林流」系、米国在空手組織「無想会」代表、新垣清氏の、上体が「横方向へグニャッと曲がる」説が存在し、曲がらねば移動ができないという思考法が用いられており、武術的エネルギーの立ち上げ方を知らない。

第2挙動　顔面のみ右方向へ向け、左足を右足前へ差し出し、両足交叉させての「交叉立ち」となる。

不可。新垣清氏の「グニャッ説」から考えられる事は、グニャッと曲がる行為は「交叉立ち」姿勢を創る事が目的ではなく、次挙動にて「片足立ち」姿勢を創るための、言わば助走の段階と捉えているのであろう。

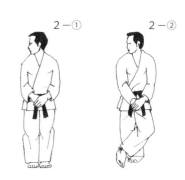

　故に「交叉立ち」を「片足立ち」を創るための通過動作、一瞬の姿勢と捉えていると考えられる。その構造は「第一挙動・結び立ち」から右方向へグニャッと倒れ込み、左足を右方向へ差し出す事で上体傾斜の勢いを支え、その支え足を軸に、後ろ足となった右足を前足を迂回させて振り上げることで「片足立ち」になるという運動法であり、これは野球投手の投球フォームと同様の行為で、大リーグ野茂投手のトルネード投法を彷彿させるが、何故か上体捻じり行為は全く存在しない。

　グニャッと曲がり、前足を迂回させてまでの右足の振り上げ行為であれば、余程のエネルギーが立ち上げられたであろうに、長嶺将真の実演写真は両手を体中心位置に組んだ、中心軸操作構えの、正面向き「安定片足立ち」姿勢となっており、上体捻じり行為は存在しない。新垣氏は、この長嶺将真の「安定片足立ち」姿勢に涙を流して感激している訳である。この安定姿勢を創る事が目的であれば、グニャッと曲がらずとも、またワザワザ「交叉立ち」姿勢とならずとも、「第一挙動・結び立ち」姿勢に、いきなりの足上げ行為を設定すれば良いのではな

いだろうか。何のための「交叉立ち」姿勢なのか、「安定姿勢」を創るために何故、大袈裟な足の振り上げ行為を設定せねばならないのか不明である。

　野茂投手は上体捻じり行為の不安定姿勢の存在により、前方への大きな踏み込み動作が可能なのであり、長嶺将真の「安定片足立ち」からは上げた足を垂直に下ろすしかなく、次挙動の「ナイハンチ立ち」となるには、「片足立ち」の軸足による床の蹴り返し行為を必要とする。つまり「不安定姿勢」が必要なのである。

「片足立ち」から、着地と同時に次の「技」を行なうためには、不安定姿勢の「片足立ち」となるべきであり、体中心に軸が存在する「交叉立ち」からの「片足立ち」では「安定片足立ち」しか創れず、着地と同時の「技」が不可能な「美しき片足立ち」にしかならない。

　「小林流」の場合、明らかに「交叉立ち」という挙動としてこの場面を扱い一時停止状態となっており、前挙動「結び立ち」からここまでで一歩、次の「ナイハンチ立ち」まで更に一歩と、通常の歩法を用いている。

　「ショウリン流」では次挙動「右裏手刀受け」を、右腕による右方向への振り出し運動と捉え、遊具のフリスビーを扱う際と同様の運動法と捉えているが、右腕でフリスビーを右方向へ投げる際は、先ず、上体を左方向へ捻じる「タメ」の行為を行ない、その解放運動で右腕は振り出される筈である。

　しかし、この場面は前挙動「結び立ち」の左足を右足の前に出した。通常、この行為を行なえば腰の運動と共に両肩は右回転する筈であるが、「カニの横歩き」を行なう事から、上体は

28

正面向きのままである為、この時の腰には両肩の右回転運動を抑える力が働いている事になる。つまり「タメ」である。この「タメ」を「交叉立ち」から右足を踏み出す事により解放すればどういう運動法が生まれるかと言えば当然、肩の左回転運動であるが、この肩の左回転運動が次の「第三挙動・裏手刀受け」を可能にするのかを考えるべきだ。

「松林流・片足立ち」姿勢にも、「小林流・交叉立ち」姿勢にも、上半身捻じり行為は存在せず、両流派に共通するこの「上体を捻じらない姿勢」が何を意味しているのかを考えることができれば「ナイハンチ」が何の為の技術であるのかが分かる筈だ。

この場面の「小林流・交叉立ち」へは、背中を壁に貼りつけたような姿勢のままで、上体を捻じらずに歩いている。これは江戸時代の魚屋が天秤棒を担いで歩く姿を想像すれば分かると思うが、これが「ナンバ歩き」である。上体の向きを一定方向に固定し移動する理由は、長柄の武器を構えているからである。

この歩行姿勢から「ナイハンチ」が槍術同様の運動法を用いる棒術型である事が分かり、第2挙動で既に、「ナイハンチ」が何の為の技術であるのか明白なのである。

第3挙動　「交叉立ち」の後ろ足である右足を右方向へ送り出し「ナイハンチ立ち」になると同時に掌を上向きにして「右裏手刀受け」を行なう。左拳は左腰に引き付ける。

不可。説明した通り、前挙動「交叉立ち」には両肩の右回転運動を阻む力による「タメ」が創られており、この場面へと右足を踏み出す事でこの「タメ」を解放すれば、両肩は左回転をし、右フックは行なえようとも「右裏手刀受け」の振り出し運動は行なえない。

3

この場面に振り出すエネルギーが存在しない事を身体は感じているようで、「小林流」は振り出し運動の直前、上体を前方へ屈するという予備動作を設定し、その姿勢からの起き上がり行為で右腕を振り出している。

これは「松林流」も同様である事から、「松林流」は前挙動で大袈裟な「片足立ち挙動」を設定しながらも、着地と同時の「裏手刀受け」を行なうエネルギーは創出できなかったという事になっている。

現状、「首里手・ショウリン流」の「ナイハンチ」に於けるエネルギー立ち上げ法は、上体を前方へ屈し、その戻り行為で「技」を行なうという方法である。

現行の「裏手刀受け」解釈法について考える。

「ナイハンチ」という型名称が中国名であるにも拘らず、「裏手刀受け」というハイカラな日本語名を用いる事から、「ナイハンチ・第３挙動」が琉球王朝時代の沖縄人が解釈した挙動でない事は確かである。

つまり「第３挙動」が「裏手刀受け」である保証はどこにもない。

そして、この「ナイハンチ」の前半部分の最終挙動である第21挙動にも「裏手刀受け」が設定されており、その直前の第20挙動には、両拳の位置が肩幅程度前後にずれる「双手突き」が設定されている。

両腕同時同方向運動の構造から、この「双手突き」が棒術動

30

作である事は確実である。つまり棒を順手握りで持ち、それを突き出す行為を、両拳が揃わないにも拘らず「双手突き」という、これまたハイカラな日本語名を付け、強引に素手武術として解釈しているのである。

第20挙動が棒術挙動であれば、第21挙動が素手武術挙動である筈はない。第20挙動が両腕同時同方向運動で行なわれたのであれば、「第21挙動・裏手刀受け」が両腕開き分け運動で行なわれる筈はなく、棒で突く運動法とフリスビーを投げる運動法が同じ「立ち方」で行なえる筈がない。

つまり、「第3挙動・裏手刀受け」の直前にも「双手突き」という、棒術挙動の設定が可能な筈である。

そして「双手突き」の運動法から考えれば、「第3挙動・裏手刀受け」を、上体開き分け運動法を用いる素手武術の「受け技」と解釈する事は不適当である。

更にこの「裏手刀受け」を「受け技」という発力行為と解釈すれば、次挙動「左肘当て」という明らかな発力行為を行なうエネルギーの立ち上げに、上体の前後への撓り運動という予備動作が必要となる。

現状は、この場面の「右裏手刀受け」の左手を「引き手」として解釈し、上体開き分け行為で行なった為、踵重心の反り返り姿勢となったが、この姿勢は「ショウリン流」空手家にとっては好都合で、この反り返り姿勢からの戻り行為を利用した「開いて」「閉じて」運動により次挙動「肘当て」は行なわれており、稚拙な運動法を用いている。

第4挙動　右掌を体正面に移動させつつ、左前腕を右前腕内側に当て「左肘当て」を行なう。

4

　不可。この場面の「肘当て」は、例えば「逆突き」同様、後ろ足側の左腕による右方向への行為である為、上体を捻じらぬ限り肘が体範囲内から突き出る事はなく、これを突き出す為にはムエタイの試合からも分かる通り、前足片足立ち姿勢となる程の前足への重心移動が必要である。

　「第7挙動・かぎ突き」も腰を捻じらない為、突き腕が体範囲内に留まり、突き出される事はなく、「第15挙動・外受け」も腰を捻じらず、極め付けの「第20挙動・双手突き」も腰を捻じらない為、両拳が揃うという事がない。全ての挙動が、腰を捻じりさえすれば挙動名どおりの外形となるであろうに、その行為を行なおうとしないのは何故であろうか。

　「腰を捻じる事のできる運動法」とは何かと言えば、ボクシングのように後ろ足で床を蹴る事により上体を捻じる事で前足への重心移動を行なう運動があるが、「ナイハンチ」は両足均等重心であるが故にこの運動法が行なえないのであり、「ナイハンチ立ち」で後ろ足側（目線とは反対方向側）の腕でこの行為（例えば「逆突き」）を行なえば、知花朝信や長嶺将真の実演写真に見られるように、後ろ足膝が内旋回転（これはボクシングに於いてストレートパンチを打つ際の、後ろ足膝の回転と同様の行為である）し、「ナイハンチ姿勢」を崩す事になる。

「ナイハンチ立ち」とは両足均等重心姿勢である為、重心移動が存在せず、腰の回転運動も、上体捻じり行為も存在しない。よって逆腕による突き出し行為は行なえない。何故、上体を捻じらないのかと言えば、ナンバ運動法を用いる「棒術動作」だからである。

この「第4挙動・肘当て」は、如何なるエネルギーを利用して行なわれているのかと言えば、前挙動「裏手刀受け」では、「捻じり行為」による「タメ」が存在しない為、「受け技」としての構造は持たない。

では、第3挙動の実体は何かと言えば、「受け技」ではなく第3挙動自体が「タメ」の行為なのである。

その「タメ」のエネルギー源は「第2挙動・交叉立ち」の左足であるべきであり、交叉した下半身と、正面向きで不動の上半身。この身体上下の「捻じれ現象」が創り出すのは水平運動エネルギーであり、右足を踏み出す事によりこの「捻じれ現象」を解放すれば、棒の水平方向運動が始まる。

「第3挙動・裏手刀受け」は「第4挙動・肘当て」への通過動作に過ぎず、「第4挙動」の実体とは、棒の水平運動である「横打ち」なのであろう。

第5挙動　両拳重ね合わせて右腰に構え、目線は左方向へ。

不可。両拳同一腰へ構えれば、次挙動での両腕開き分け行為は行なえないという事であり、次挙動は片腕一本での行為となる。この構えからは威力を創り出せない事から、この構えは素手武術のものではなく、棒術構えと考えるべきである。つまり、両腕同時同方向運動への構えと思われる事から、第19挙動と同様の構えと考えられるのだ。

　これが棒術構えである事は「第20挙動・双手突き」で明らかである事から、ここからの行為は棒術動作と解釈すべきである。

第6挙動　「ナイハンチ立ち」で右拳右腰のまま、左大腿部横へ「左拳下段払い」を行なう。

不可。ここまでの「ナイハンチ立ち」姿勢の構造から明らかな通り、「ナイハンチ立ち」には上体捻じり行為が存在しない事から、この「下段払い」挙動が「技」ではなく、単なる片腕だけによる行為である事が分かるが、その目的は次挙動で明らかにする。

第7挙動　そのままの姿勢で左拳を左腰へ引き付けつつ、「右中段かぎ突き」を行なう。

不可。この挙動も、上体を捻じる事ができない「逆突き」の形であるから、「第4挙動・肘当て」同様、腕が突き出される事はなく、腰の捻じれない両足並列姿勢である為、左腕の「引き手」も意味は持たない。

7

　よって、この挙動も右腕一本で行なわれる行為となり、威力は存在せず、武技としての構造は持たないことになる。

　前挙動を「下段払い」という発力行為、そしてこの場面も「かぎ突き」という連続発力行為解釈である為、そのエネルギーの立ち上げに忙しく、挙動の度（たび）に上体を前後に揺らす「開いて」「閉じて」の予備動作運動を行なっており、とても武技とは言い難い構造となっている。

　「かぎ突き」という横方向への「突き技」を行なうに、バレーボール同様、上体の前後への撓り運動でエネルギーを立ち上げており、やり投げ、砲丸投げ選手も驚くようなエネルギーの立ち上げ法であるが、この手法は「パッサイ・外八字立ち」、「チントウ・四股立ち」、「公相君・外八字立ち」の両足並列姿勢挙動でも用いられている。

　この場面の実体は、先ず、第5挙動「両拳右腰構え」で腰に構えた棒の下端を第6挙動にて左方向へ移動させただけの行為を「左下段払い」と解釈し、第7挙動で棒の上部を握った右腕を左方向へ移動させただけの行為を「右かぎ突き」と分割解釈したものであろう。両腕移動の目的は、第8挙動で左方向へ横移動する為の、左体軸の構築である。

この左体軸の構築に効果があるか否かは、左軸を設定せずに歩いてみれば分かる。

　両腕の位置と体軸との関係を理解できないからこそ、「松林流」は第2挙動に両手を体中心に構えたのであり、第14挙動の「片足立ち」が何故、体軸が片側に偏る構えであるのかを理解できない為、芸能挙動に甘んじているのである。

第8・9挙動　「かぎ突き」姿勢のまま、右足を左方向へ伸ばし右足前「交叉立ち」となって後、左足を更に左方向へ移動させ、「ナイハンチ立ち」となる。

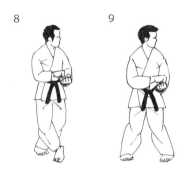

8　　　　9

　不可。前挙動を「下段払い」「かぎ突き」という発力行為と解釈した為、移動の為のエネルギーは新たに立ち上げねばならず、右足で床を蹴り移動を開始したが、この行為は右足を左足の先へ一歩踏み出すだけのエネルギーしか創り出せない為、「交叉立ち」姿勢完成で停止状態となり、次の一歩の為には再び床を蹴って移動せねばならないという、一歩ごとにエネルギーを失う通常歩法となっている。歩く事が目的であれば、この移動法で構わないが、武術とは目的があって移動する為、仕事を行なう為のエネルギーを散逸しながらの歩法を行なってはならない。

　正しく行なえば、第7挙動で構築した左軸の力により右足を引き寄せ、更に左方向へ伸ばせば「交叉立ち」となれるが、実際には「交叉立ち」という立ち方は存在しない筈だ。「交叉立

ち」とは一瞬の姿勢であり、右足への重心移動はなく、右足を置いただけの行為と考える。

しかし「松林流」は、「交叉立ち」での停止状態がなければ、この場面に「片足立ち」挙動を設定する事ができない。

「松林流」は前挙動「右かぎ突き」を右足の押し出す力で行なって後、その右足で再び床を蹴り、左方向へ一歩踏み出して「交叉立ち」姿勢を創り、それから二回目の「片足立ち」挙動を行なっている。

件の新垣氏が涙で感動する長嶺将真の「片足立ち」の構造には問題があり、第2挙動の一回目の「片足立ち」は両手を体中心に位置させ、「交叉立ち」の後ろ足である右足を、前足を迂回させて螺旋運動で鉛直方向へ振り上げ、それから踏み付け行為と同側の腕による「右裏手刀受け」を行なうという設定であった。つまり、右方向へ何事かをなす為に、右足を上げての「左片足立ち」となったのであり、第14挙動の「右片足立ち」も、左方向への行為の為に左足を引き上げているのである。

しかるにこの場面は、「右かぎ突き」終了の右前腕を体前に構えたまま「交叉立ち」から左足を振り上げ「右片足立ち」となったのであるから、左方向へ何事かを為すのかと思いきや、着地足を蹴り返しての正面方向への行為を行なっており、何の為の「片足立ち」なのか不明である。

更に、左腰の左拳に移動がない為、この「右外受け」解釈挙動は、上体開き分け運動で行なわれた訳ではなく、体前に構えた右前腕を立てただけの行為であるから、武技の構造は持たない。

次の「外受け」は「小林流」と同形ではあるが、左足の「蹴り返し行為」が存在するだけでも、「小林流」挙動よりは威力があろう。

37

第10挙動　左足着地し「ナイハンチ立ち」となり、左拳左腰のまま、正面方向へ「右中段外受け」を行なう。

10

不可。「松林流」挙動は、前挙動「片足立ち」からの踏みつけ足の蹴り返し行為による、正面方向への「右外受け」であると説明した。

「小林流」は「第7挙動・かぎ突き」終了姿勢のまま移動し「ナイハンチ立ち」となるが、左拳に移動はなく第7挙動以来、左腰のままである。

両足並列姿勢で腰も捻じれず、左拳も移動しない事から上体開き分け行為も利用できない。

右前腕を立てるだけの行為に、「右外受け」という挙動名を付ける程の無責任さであるが、この挙動解釈法により、「第14挙動・片足立ち」へ向けての準備段階を失った。この場面を「外受け」という発力行為として解釈した為、次挙動「外受け・下段払い」との連続発力行為となり、エネルギー立ち上げ行為が困難となった。

第11挙動　そのままの姿勢で「左外受け」「右下段払い」を行なう。

11

不可。前挙動を「外受け」という発力行為と解釈した為、この場面を行なうエネルギーは新たに立ち上げねばならず、例によって上体を反らせてタメを創り、その戻り運動にて「外受け・下段払い」を行なう。両足並列姿勢に於ける前後の不安定さを認識しておらず、腕を振り回しさえすれば相手の攻撃が防げると考えている。

「ナイハンチ立ち」で向き合い、子供のゲームのように両掌での突き飛ばし合いをすれば、後方への不安定さを自覚する事ができよう。武術以前の話ではあるが。

　前挙動は発力行為ではなく、この場面の「タメ」の段階と解釈すべきであり、その解放運動で「外受け・下段払い」の両腕左回転運動が行なわれたと考えるべきである。

　この場面の「外受け・下段払い」の実体を説明する。

　空手家は全身を筋肉の鎧で固めている為、身体内部の変化を認識できない。挙動の外形、つまり起きている現象しか認識できない為、理屈ではなく「斯くなる運動を行なえば、斯くなる結果となる」と、外形で説明するしかない。

　そこで他の型挙動と比較する事により、目に見える形でそれを説明せねばならず、「パッサイ第５挙動・猫足立ち・押さえ受け・裏拳突き」挙動を利用する。

　この場面の「左外受け・右下段払い」から左向きとなり、「左足前猫足立ち」となって「右押さえ受け・左裏拳突き」を行なってみる。

　「左外受け」は「左裏拳突き」同様の「外旋回転、掬い上げ運動」、「右下段払い」は「右押さえ受け」と同様の「内旋回転、押さえ込み」運動に当たる。

　この「左拳裏拳突き」を行なう側の左足は、「左足前猫足立ち」であるから「爪先立ち」であり、「右押さえ受け」を行なう側の右足は足裏全体が着地している。

　よって、この姿勢は前足方向、つまり左足方向に対し不安定な姿勢であり、このやや前傾した姿勢が「左裏拳突き」の威力に繋がる。

　「パッサイ・第５挙動」の、この重心位置ならば空手家にも見えよう。

ここまで説明すれば見えたと思うが、この場面の「ナイハンチ立ち・外受け・下段払い」を行なった場合の足裏に起きている現象とは、両足並列姿勢である事から「右下段払い」の右足裏では「パッサイ・左足前猫足立ち・押さえ受け」の場合同様、右足踵方向への重心移動が生み出されており、「左外受け」の左足裏では「パッサイ・左足前猫足立ち・裏拳突き」同様の左足指方向へ向かっての重心移動が起きている。

　この足裏に於ける重心の不均衡状態が、身体にどの様な影響を及ぼすかと言えば、左方向への不安定姿勢、体軸の傾斜である。

　これが「松林流・第2挙動・片足立ち」にて「松林流」が体中心に軸を設定した為「第3挙動」の踏みつけ足の威力を創り出せなかった理由であり、威力を創り出せなかった為に、「裏手刀受け」を行なうエネルギーが存在せず、上体前屈姿勢からの立ち上がり行為という予備動作を設定しての「裏手刀受け」を行なわざるを得なかったのである。

　この挙動は「太極拳・野馬分鬃」と同様の運動法である為、中国拳法家には理解し易い。

　以上は「動作は全て『技』」と解釈する「首里手・ショウリン流」の断続挙動解釈法の弊害であるが、前挙動「右外受け」は「パッサイ・第4挙動・右上げ受け」同様、「タメ」の動作である。

　前挙動「右外受け」は準備体勢であり、「外受け・下段払い」はその解放運動で行なわれるが、これは「交叉立ち」から「ナイハンチ立ち」への移動法にも似ている。

　このような体軸傾斜姿勢を創らねばならない理由は「第14挙動・片足立ち」へ向けての準備体勢の構築にあり、この挙動の分析結果から「片足立ち」の構造が見えてくる。更には次挙動「裏拳打ち」が後付け挙動に過ぎず、「ナイハンチ」全体の構

40

造を見失わせる素人作である事が分かった。

　両足並列姿勢での、両腕の扇風機運動によるこの場面の「受け技」や、次挙動「裏拳打ち」の虚偽挙動を練習生に刷り込むという指導はやめるべきであり、どれだけの練習生がこの挙動名を信じて長年稽古を続け、結局、何も得られずにいる事を考えれば、この責任は誰が取るのかと問いたい。

　空手界は手（ティ）の設定に固執し、空手の歴史的位置づけや、コジツケ挙動名など言葉を弄する事に忙しい。武技の構造をいい加減に捉える事で型を冒涜しているのは空手家自身である。空手家にとって大切な事は空手の技術ではなく、世間の評価であり、空手組織の社会的地位向上に腐心しているだけで、空手家にとって空手を学ぶとは目的ではなく手段なのであり、純粋に空手が好きな訳ではないようである。

第12挙動　そのままの正面向き姿勢。立てた左肘下に右拳を伏せて位置させ、左拳を額前に引き付けた後、「裏拳打ち」を行なう。

不可。素人のなせる業と言える「後付け挙動」である。この挙動の設定により前挙動で創られた左傾斜姿勢が無駄となり、「第14挙動・片足立ち」は両足並列姿勢から左足を引き上げる「安定片足立ち」姿勢で行なわれるものであると解釈されるようになった。それが原因で「無想会」代表、新垣清氏は、長嶺将真の「安定片足立ち」に涙を流さねばならなくなったのである。この挙動設定の結果、「ナイハンチ」の要である「片足立ち」の構造解釈を誤り、「ナイハンチ」全挙動の構造を見失う事になった。

41

両足並列姿勢である為、腰を捻じる事のできない「ナイハンチ」での「裏拳打ち」は、そのエネルギー立ち上げを上体の前後への撓り運動に頼るしかないが、後方転倒の恐れから、振り被り動作が行なえず小手先だけの行為となり、バランス意識から足指へ重心が出る事を嫌う為、振り被れず、振り下ろせずのドアノック程度の行為となっている。

第13挙動　そのままの構えで、顔面のみ左向きとなる。

13

　不可。この場面の両腕の位置が重要である。目線方向に両腕を構えれば、身体にどのような変化が起きるかを、逆側にも両腕を構える事で試し、足裏に於ける重心位置の変化を知る必要がある。
　第11挙動の「外受け・下段払い」から直接、この挙動であったと思われるが、停止姿勢は存在せず、第11挙動から棒を左回転させて左半身に絞り込みを創りつつ、その左足を払った結果が、次の「片足立ち」挙動なのであろう。

第14挙動　右足軸に「片足立ち」となった後、左足で「踏み付け行為」を行なう。両腕は前挙動「裏拳打ち」終了形のまま。

　不可。米国在空手組織「無想会」代表、「松林流」出身の新垣清氏は、松林流宗家、長嶺将真の「ナイハンチ初段・片足立ち」挙動について、「左足を上げた際の姿勢は、涙が出るほどの素晴らしさだ。(中略) 力強さと安定感がバランスよくとれたも

のであり、これは才能だけでは絶対にできない。」と語るが、「安定片足立ち」姿勢を是とする辺りが如何にも「ショウリン流空手家」らしく、芸能的感覚で武技を捉え、停止姿勢の外形の美しさにこだわっているが、軸足である右足の力で左足を引き上げた結果、「安定片足立ち」となれたのである。

14

「安定片足立ち」姿勢からは、抱え込んだ足をユックリと下ろす事は可能であるが、力強く踏み付けようと思えば、更に抱え足を引き上げるという、「踏みつけ動作」の為の予備動作を設定せねばならず、軸足である右足に力を立ち上げ、「片足立ち」状態で更に左足を引き上げている。つまり「二段階方式」の「足上げ行為」である。

「小林流」は「片足立ち」を「敵の足を踏み付ける為の予備動作」程度にしか捉えておらず、左足着地と同時に「片足立ち挙動完了」と解釈するが、何故か左足着地後も「裏拳打ち」終了構えのままである事には頓着しない。

「片足立ち」姿勢は両腕が同一方向に構えられており、素手武術のように腰を捻じる事によるエネルギー立ち上げ行為（嘗てのプロ野球名選手、王貞治の「一本足打法」に於ける捻じれ姿勢のような）が存在しない事から、棒術動作と判断すべきである。

更に、踏みつけ足の運動法にも疑問があり、胡坐をかくように足裏が見える程に高く上げた形からの着地足は、「足刀横蹴り」のような「捻じ込み、内旋回転運動」を行なうのであり、この下半身の運動法は、第三挙動「裏手刀受け」のように掌が上向きとなる「外旋回転運動」を可能にはせず、腕の「振り出し運動」も行なえない筈である。

上半身の構造は「裏拳打ち」終了構えで拳甲部が外向きとなっている為、次挙動で「裏手刀受け」のような「外旋回転運動」は行なえないが、捻じ込み運動の「内旋回転運動」による「振り出し行為」、例えば「払い打ち」、「手刀受け」ならば可能であり、棒術ならば「裏打ち」が可能である。

　更に述べる。

　「交叉立ち」解釈同様、独立した挙動と解釈した為、「片足立ち」姿勢で居着いた外形の美しさを評価の対象としているが、「ナイハンチ理念」はこの「片足立ち挙動」が象徴しているものと考えられ、「第3挙動・裏手刀受け」の「外旋回転・振り出し運動」を取るか、この場面の「片足立ち」から可能な「捻じ込み運動」を取るかが、「ナイハンチ立ち」運動法解釈の分水嶺である。

　「片足立ち」となる為に、右足へ完全に重心移動した後に左足を引き上げれば、これは上体左側に位置する両腕の重みと右軸足により、バランスの取れた、居着き姿勢を生み出す結果となり、武技ではなく、片足で立つ事が目的の行為となる。

　いつまでも「片足立ち」で立っていたいのであれば、長嶺将真のような安定姿勢で立っていれば良いが、「外受け・下段払い」挙動で述べた通り、棒の左回転運動で構築された左傾斜の体軸の下端を払えば、体は左傾斜運動を始めるのである。

　本来はこの行為が「踏みつけ動作」のエネルギー源である為、「片足立ち」姿勢から更に抱え足を引き上げるという予備動作の必要はない。

　「安定片足立ち」どころか、「落下している片足」がその実体であり、「片足立ち」の目的は次挙動である。

第15挙動 「左中段外受け」を行なう。右拳は引き続き左肘下に添えたまま。

不可。この挙動が「片足立ち」挙動の目的となるべきであるに、「小林流」は前挙動の「踏みつけ動作」と分割解釈し、力強く踏み締める発力行為を行なった為、この場面を行なうエネルギーを失い、改めて「左外受け」を行なうエネルギーを立ち上げねばならなくなった。

15

　そこで着地後、例によって上体を前屈させる予備動作を設定し、上体起こし運動を利用して左腕を振り出すが、「ナイハンチ立ち」での行為であれば、第3挙動「裏手刀受け」の運動法の理屈から、外旋回転「振り出し運動」となる筈である。

　しかし何故か「捻じ込み運動」の「（内旋回転）外受け」を行なっており、「ナイハンチ立ち」で行なえる運動法とは「振り出し運動」なのか、「捻じ込み運動」なのか、それとも「どちらでも可」なのか、曖昧となった場面である。

　上半身が「裏拳打ち」構えを保持し続けていれば、次の運動法が「払い打ち」同様の内旋回転「捻じ込み運動」となるのは当然であるが、それでは第3挙動「裏手刀受け」以来の外旋回転「振り出し運動」解釈法が怪しくなる。

　注意すべきは、この場面の内旋回転「捻じ込み運動」で行なわれる「左外受け」の形は「首里手・ショウリン流」全型を通じ、この場面だけであり、その特殊性から「松林流」では「外回し受け」という独特の挙動名を用いている。

「片足立ち」からの着地足が内旋回転「捻じ込み運動」を
する事から、これまでの「ナイハンチ立ち」の構造解釈法が
怪しくなり、「第3挙動」の外旋回転「振り出し運動」を「裏
手刀受け」解釈する事の否定が可能となった。

　「片足立ち」挙動の目的は、この場面の「捻じ込み運動」であ
る「（内旋回転）外受け」を行なう事であると考える事ができる。
　更にある。
　この場面に「捻じ込み運動」の素手武術「受け技」を設定す
るのであれば、「手刀受け」という絶好の挙動があり、文句な
く「片足立ち」挙動から行なえた筈である。
　第3挙動に「裏手刀受け」を設定しながらも何故、この場面
に一般的な「手刀受け」ではなく、特殊な形の捻じ込み運動「外
受け」を設定したのであろうか。
　その理由は、「ナイハンチ」時代には「手刀」というものが
存在しなかったからであり、第3挙動は「裏手刀受け」ではな
く、「ナイハンチ」自体が素手武術の型ではないという事では
ないだろうか。
　「裏拳打ち」終了構えは、立てられた左肘下に右拳が添えら
れ上体は閉じられており、これは次挙動にて捻じ込み運動を可
能にする素手武術の構えではない（「第3挙動・裏手刀受け」の
上体開き分け行為からの「第4挙動・肘当て」の流れを参考に
すれば理解できよう）。
　この場面は、左軸の絞り込み姿勢から、右手を支点とした遠
心力利用の、体移動と共に左腕と左脇に位置する右手で棒を振
り出す棒術挙動が考えられ、棒の半分が背中方向へと回転し位
置する「裏打ち」ではないだろうか。

長嶺将真の「片足立ち」には、姿勢を安定させる為の中心軸は存在するも、「技」を可能にする傾斜軸は存在しない。

仮にこの場面に「第3挙動・裏手刀受け」同様の外旋回転「振り出し運動」を設定すれば上体が捻じれてしまう事から、「第3挙動・裏手刀受け」は威力を必要とする「技」そのものではないと考えられる。

第16挙動　姿勢、前挙動のまま、右方向を向く。

不可。体左側に両腕を立てて構え、目線のみ右方向となるが、この構えにより左軸となった。

16

第17挙動　左足軸に「片足立ち」となる。両腕は前挙動のまま。

不可。あまりの駄作ぶりから「裏拳打ち」同様、近代の作と考えられる。

17

前回の「片足立ち」の両腕は目線方向に構えられたが、この場面は目線とは逆方向の左耳横位置に構えられており、この両腕の位置から軸足は左足となり、左足の力で右足を引き上げる事になる。

つまり、右足を引き上げる事が可能なほど安定した左足という事になる。これは「安定片足立ち」の創出で

あり、この姿勢からの右足はスローモーションで下ろす事も可能で、倒れ込む力は持たず、本部朝基実演写真の「超安定姿勢」からハッキリとそれが分かるが、「安定片足立ち」姿勢では、更なる足の引き上げ行為を用いねば力強い踏み付け動作は行なえない。

　前回の「片足立ち」は、左軸の下端を払っただけの落下運動であったろうに、何故、派手な足上げの形となったかと考えるに、沖縄空手家の芸能的思考法による、「美しき片足立ち姿勢」追求の結果なのであろう。

第18挙動　右足踏み付け「ナイハンチ立ち」となり、両腕の形そのままに、上体を右方向へ捻じり、「左内受け」を行なう。右拳は左肘下に伏せたまま位置する。

18

不可。両腕が左耳横付近に位置し、左足に軸を残した「安定片足立ち」での踏み付け後の行為であるが、両腕の移動がない限り軸位置は左足のままである為、重心移動のできない左足軸姿勢のままで振り出された「左内受け」となり、後ろ足重心でゴルフクラブを振りぬいた場合と同様の結果となる。

　　　　　　この「左内受け」の支点がどこにあるのかと言えば、腰の捻じれない「ナイハンチ立ち」であるから左肘である。左肘の下に右拳を添えて固定している為、左肘を支点に左前腕を振り出す行為となっており、上体は捻じれない。

　右拳を左肘下に固定したままである為、左前腕だけを右方向へ移動させるという形となり、運動の結果、右腰、右足が浮き上がる事は、知花朝信実演写真で明らかである。

48

第19・20挙動 「ナイハンチ立ち」で目線左方向、両拳右腰に重ね合わせてから、左方向へ「中段双手突き」を行なう。

可。この挙動こそが「ナイハンチ」構造解明の全てであり、「ナイハンチ立ち」の構造が明確に示された挙動なのである。

19

　明らかに「攻撃技」としての発力行為であり、両拳が揃わないのは両足並列姿勢の「ナイハンチ立ち」で腰を捻じれないからで、上体を捻じらず、両腕同時同方向の運動である事から棒術動作である事が分かる。更に、順手握りでの行為である事から、槍術の押し出し運動とは

20

異なり「体当たり的」に棒を突き出す事により殺傷力を高めている事が分かる。

　この運動法から槍術のように後ろ足の力で体を押し出したのではなく、前足の力で上体を引き付けている事が分かる。

　この行為こそが「ナイハンチ立ち」のエネルギー創出法なのであり、この場面に至りようやく「ナイハンチ立ち」に於ける正しい運動法が示された。

まとめる

> ① 「ナイハンチ」は体正面向きで移動するカニの横歩きを
>   行ない、上体に捻じり行為は存在しない。
> ② 上体を捻じらず、両腕同時同方向運動を用いる事から、
>   「ナイハンチ」が棒術型である事が分かる。
> ③ 「双手突き」の両手が順手握りである事から、棒は後ろ
>   足の力で押し出されたのではなく、相手を腰で突き飛ばす
>   要領で（ヒップアタック）、前足の引き付ける力で上体を
>   引き寄せ、「体当たり」的に棒を突き出したものと考えら
>   れる。

　この場面の左足の運動法から、第14挙動「片足立ち」からの
踏み付け足の回転方法が明らかとなり、この運動法の結果、第
3挙動を外旋回転運動による「裏手刀受け」という「振り出し
運動」と解釈する事は不可能となった。
　そして何故、第15挙動に他の型には存在しない特殊な運動法
である内旋回転の「左外受け（外回し受け）」を設定したのか
と言えば、「ナイハンチ」には「第3挙動・裏手刀受け」のよ
うな外旋回転運動の「振り出し運動」が存在しないからであり、
その事から「第3挙動・裏手刀受け」が「受け技」ではない事
が分かった。
　更に、「ナイハンチ」を素手武術化した場合に可能な「突き技」
の形とは、前足側の腕による「内旋回転運動」系の「振り出し
運動」、ボクシングで言えばフリッカーパンチであり、「チント
ウ・第4挙動・払い打ち」のスタイルとなる筈だ。
　この場面のエネルギーの立ち上げ方は、前足の引く力の利用
しかなく、前足である左足で上体を引き寄せ、体当たりの要領

で腰の移動と共に「順手握り」の棒を突き出している事から、この腕の回転運動を素手術化すれば良いのである。

　この運動法を理解できれば、第7挙動「かぎ突き」から如何にして「交叉立ち」、そして「ナイハンチ立ち」へ移行できるか分かろう。

第21挙動　「双手突き」の右手を右腰へ引き付け、左手は手刀にし、切り返して「左裏手刀受け」を行なう。

不可。前挙動「双手突き」が明らかな両腕同時同方向運動の棒術動作であるにも拘らず、この場面は腕の運動方向を切り返しての「引き手」行為を設定した。両腕開き分け行為による素手武術挙動の設定である。「ナイハンチ立ち」では行なえない筈の外旋回転運動による「振り出し運動」と解釈されたこの挙動は「技」ではなく、「タメ」の行為である。

21

　ここまでが「ナイハンチ初段」の前半部分であり、次挙動で「右肘当て」を行なって後、後半部分となる逆方向への運動となる。

▲結論
　前著では第3挙動を「裏手刀受け」という挙動名のままに検証を進めた結果、「片足立ち」挙動で検証作業が行き詰ってしまった。

　今回の検証にて、「ナイハンチ」に於ける「振り出し運動」は素手武術「払い打ち」同様の「内旋回転、捻じ込み運動」を

行なう事が分かった。

　嘗ての沖縄空手道連盟、初代副会長、長嶺将真に代表されるように、空手組織を主宰する者が、沖縄人のアイデンティティから、強引に沖縄武術の始まりに「手（ティ）」なる素手武術を設定しようとする姿勢を遺憾に思う。

　何の技術的根拠も無く、無責任な概念を用いて「ナイハンチは首里手の基本」と叫ぶが、沖縄空手家は棒術型の「ナイハンチ」を「首里手」の基本とする程に素手武術の構造を知らず、武器術運動法と素手武術運動法との違いを認識できない嘗ての琉球人に、「手（ティ）」なる素手武術を創り出せたとはとても考えられない。素手武術とは沖縄空手家が考える程、単純なものではない。

小林流・パッサイ（大）

　「小林流」には「パッサイ（大)」と「パッサイ（小)」があるが、「松林流・パッサイ」は「小林流・パッサイ（小)」に似る。この型について長嶺将真は「古来達人の作と言われているが作者不明。古い形に属し、泊方面に伝わった形である。」とするが、どこから伝わったのかと言えば、型の構造から中国からと考えられる。

　しかし型は、前半が中国拳法、中盤以降は棒術動作のアレンジ挙動となっている。

　ここで検証する型は「多和田のパッサイ」と呼ばれるが、多和田筑登之親雲上（1814 〜 1884）は150年ほど前の幕末期から明治時代にかけての琉球士族である事から、現代人とは異なる運動法を用いていた旧日本人である。

　この型は、全52挙動という随分長い型であるが、実質的な内容は半分以下である。

　「猫足立ち・押さえ受け・裏拳突き」と「猫足立ち・かぎ手受け」という中国拳法と思われる挙動を主軸として構成されているが、その挙動構造が理解されている訳ではなく、棒術動作の解釈法が用いられている。

（挙動解説は昭和48年発行、村上勝美著『空手道と琉球古武道』を参考にした）

53

第1挙動　南向き、右拳を左掌で包み、結び立ち。

1

　拳を掌で包むのは中国拳法の構えである。

第2挙動　爪先で左足、右足と進み、右足の後ろに左足を爪先立ちで交叉させ、「右足前交叉立ち・右拳支え外受け」。右拳横に左手刀を添える。

2

　不可。「交叉立ち」という不安定姿勢で行なう「受け技」など存在する筈はなく、早速のコジツケ解釈である。

　前進しての「受け技」を行ないたければ、体当たり的に前進し、前足に体重がかかる「前屈立ち」で行なわれるべきである。沖縄空手家は派手な運動法を好む事から効率的な身体運用法を知らない為、まずは「武術型」を行なっているのか「芸能挙動」を行なっているのかを明らかにするべきである。

　この場面では前挙動「結び立ち」姿勢から、右足で床を蹴って跳び出しているが、この移動法では左足を一歩踏み出す事しかできず、左足着地後、次の右足踏み出しの為には再び床を蹴らねばならなくなる。しかし、この行為を行なえば「受け技」

54

を行なうエネルギーは失われる。

　「首里手・ショウリン流」が武術の移動法を知らない事が分かる。

　この場面、如何にして「受け技」のエネルギーを立ち上げているのかと言えば、移動の最中、左足着地と同時に上体を左方向へ捻じる予備動作を設定し、その戻り行為で右足着地と同時の「右外受け」を行なっている。

　つまり、下半身の力で受けたのではなく、上体の捻じり戻し行為で行なわれた「受け技」でしかない。下半身が着地足のブレーキ行為で忙しいのは「交叉立ち」という不安定姿勢での停止行為だからであるが、ブレーキを踏まねば前方へつんのめる。よって、この右腕は振り出された腕ではなく、下半身のブレーキ行為による「慣性の法則」により流れ出た右腕でしかなく、「受け技」としての威力はない。

　更に、「交叉立ち」の前足である右足を軸とした右方向への振り出し運動である「右外受け」を行なったという解釈である為、右足は「ナイハンチ初段・第３挙動・裏手刀受け」と同じく、振り出し運動を可能にする構造であるとの判断である。振り出す右拳を左掌で支えているが、これは両腕同時同方向運動の「ナンバ動作」であり、両腕を同方向へ運動させる行為とは、身体を一つに纏（まと）めるという意味を持つ武器術動作の特徴である。

　しかし、「前屈立ち」のような前足重心姿勢であれば話は分かるが、不安定姿勢の「交叉立ち」では如何（いかん）ともし難（がた）い。この挙動は「受け技」という発力行為解釈である事から、次挙動の左足軸による左回転運動のエネルギーの調達法が課題である。

第３挙動　両踵にて左回転し、後方（北）向き「右足前猫足立ち」となり、両腕を下から頭上に上げつつ、「山がまえ」をする。

3

不可。この場面から両流派の形は異なる。「小林流」の場合、前挙動で「交叉立ち」による右方向への「右外受け」を行ない、挙動完了の停止姿勢となっている為、この場面の左回転運動を行なう為には、新たにエネルギーを立ち上げねばならず、「交叉立ち」の前足で床を蹴り返し、後ろ足の左足へ重心移動して後、「右外受け」のベクトルを切り返しての左足軸による左回転運動を行なう。つまり、左回転のエネルギー源は「交叉立ち」の前足である右足の蹴り返し行為であり、この右足は前挙動では右方向への「受け技」を可能にするも、この場面では左回転運動を可能にする大変便利な構造を持つという解釈である。

　回転終了し、組んだ両腕を体前から頭上まで上げ、それから両腕を左右に開き分けるという正中線をさらけ出した無防備な行為を、「構え」と解釈するのはやめるべきだ。

第4挙動　その場にて「右足前猫足立ち」での「右拳上段上げ受け」。左拳は左腰にとる。

不可。「小林流」と「松林流」のスタイル
は異なっており、「小林流」は拳を握って
の「上げ受け挙動」、「松林流」は掌を使う
「内手刀受け」であり、「小林流」は外方
向への張り出し運動であるが、「松林流」
は内方向への押さえ込み運動である。

　しかし、次挙動では拳と掌との違いはあ
るが運動法は同一である。どちらが正しい
運動法であるかと言えば、「猫足立ち」の構造上、「松林流」の
方が正しい挙動と考える。

　「小林流」挙動を説明する。

　この場面を「上げ受け」という、前足側の腕を突き上げる挙
動と解釈しているが、「猫足立ち」の前足は爪先立ちである為、
支え受ける力を持たず、構造上、無理のある挙動となっている。

　そのエネルギー創出法は、前挙動の「山がまえ」終了で停止
状態にある上体を「ヨ〜イ」で沈め、「右足前猫足立ち」の後
ろ足に力を溜め、その解放運動の「ドン！」で左拳を「引き手」
として左腰に引き付けつつ、上体を反らせて右拳を突き上げて
いる。「引き手」を設定した上体開き分け行為による「受け技」
のスタイルである事から、「小林流・猫足立ち・上げ受け」は、
突き上げる腕と腰への「引き手」による上体開き分け行為を、
後ろ足の力で行なう発力行為であると定義された事になるが、
次挙動「左足前猫足立ち・右押さえ受け・左裏拳突き」に「引
き手」の設定がない事から、大いに疑える挙動である。

「上げ受け」の構造を考える。

　「猫足立ち」の前足は爪先立ちである為、腕にかかる圧力を支える構造は持たないと述べた。「上げ受け」は突き上げ行為であるが、次挙動の「押さえ受け」という体中心に向かう運動を行なうには、突き上げ行為の運動方向を切り返さねばならない。つまり、両腕を上下に分けた伸び上がり姿勢から一転し、両腕を体中心方向へ集める身を縮める運動への切り返し行為を行なわねばならず、「伸びて」エネルギーを立ち上げ、「縮んで」発力行為を行なうという往復運動法となるが、方向転換の瞬間、一時停止状態が生まれる。これが予備動作設定による断続挙動である。

　「小林流」の「上げ受け」設定理由が、棒術意識からのものである事の詳細については後述するが、最大のミスは「引き手」解釈による腰位置への拳の引き付け行為であり、この解釈法は次の型「チントウ・払い打ち」挙動へも悪影響を与える事になる為、この場面は要注意である。

　「松林流」は「内手刀受け」と次挙動「押さえ受け」が同一方向運動であり、連続動作が可能である事から、これが原型に近い挙動であると考えられる。

　以上の事から、「松林流」の素手武術型を、首里武士が棒術意識でアレンジしたのが「小林流・パッサイ」であると考えられる。

第５挙動　左足を前進させ「左足前猫足立ち」となりつつ「右拳押さえ受け」と同時に「左裏拳突き」。

5

不可。前挙動で「右上げ受け」に「左引き手」を設定した為、上げ腕と後ろ足の力による上体開き分け行為で「受け技」を行なったとの解釈となり、「引き手」である左腕を引き付けている後ろ足が軸足となった。その為、右膝は外回転運動をした事になるが、この運動法は綱引きの場合と同様である。

　後ろ足膝が外側へ張り出した形となった「左足前猫足立ち」であるが、この場面へは後ろ足で床を蹴って移動した筈である。

　しかし、前挙動の後ろ足で床を蹴る事により得られたエネルギーは、前挙動の前足踵へ重心移動する事だけを可能にするのであり、次の「左足前猫足立ち」への移動エネルギーと「押さえ受け・裏拳突き」を行なう為のエネルギーは、新たな軸足である右足に立ち上げねばならない。

　そこで「右足前猫足立ち」の前足である右足踵を踏み付け、これに重心移動する事で「上げ受け」姿勢の上体を更に伸び上がらせて反り返り、後ろの左足の引き寄せ行為を行なう（この場面は階段上りの要領である）。腰にタメを創る予備動作を設定しての一時停止状態で、「押さえ受け・裏拳突き」準備体勢の完了である。

　それから「上げ受け」で伸びた上体を縮める事で、左足を踏み出すと同時の「押さえ受け・裏拳突き」を行なうという、上体の折り畳み運動、伸び縮み運動利用の悠長な挙動となってお

り、一挙動で行なわれた挙動ではない。

　前挙動「右足前猫足立ち」から左足一歩進め、「左足前猫足立ち」となる際の肩の動きが疑わしく、左足を一歩進める際、通常ならば腰が捻じられる為、左肩は後方へ引かれる筈である。

　しかるにこの場面は、左足踏み出し行為と同時の「左裏拳突き」である為、左肩は前方へと移動している。これは「ナンバ動作」で、前挙動「右足前猫足立ち・右上げ受け」姿勢から右足を軸として一挙動で棒を水平に振り出すことが可能な行為である。

　しかし素手武術として左腕を突き出す為には必ず移動の最中にエネルギー立ち上げ行為の予備動作の設定が必要で、これが棒術運動法と素手武術運動法との違いであることから、この場面には予備動作を設定する必要があったのだ。

　よってこの場面は、素手武術の「立ち方」による棒術移動法の後、素手武術の「裏拳突き」を行なうという、支離滅裂挙動設定となっているのである。

　「小林流」の「裏拳突き」に対し、「松林流」は「掌底当て」の設定であるが、基本的に両者同様の運動法であり、両流派が異なるのは「上げ受け」と「内手刀受け」の運動法の違いだけである。

　「松林流」も「受け技」と「当て技」に分割解釈しているが、「小林流」のような両腕逆方向運動設定ではない為、反り返り姿勢は存在せず、運動方向の切り返し行為も存在しない。

　「松林流」の場合、前挙動から同じく体中心へ向けての運動である為、連続運動の設定が可能である。

第6挙動　前足の左足軸に180度右回転し、南向き「右足前猫足立ち」となり、「左拳上段上げ受け」を行なう。

不可。ここからは「上げ受け」解釈の否定を行
なう。前挙動「左足前猫足立ち」の前足爪先を
軸に180度背面回転運動を行ない、「右足前猫足
立ち」となり左腕を突き上げるが、上体が捻じ
れた姿勢である為、これは「ナンバ行為」では
ない事から、沖縄作の挙動ではないと考えられ
る。

　この場面は「左上げ受け」という「受け技」、
つまり発力行為解釈である為、挙動完了の停止姿勢となってい
る。

　これは第4挙動「上げ受け」を、次挙動「押さえ受け・裏拳
突き」と繋がりの無い「受け技」と解釈する事と同様の捉え方
であり、次の「押さえ受け・裏拳突き」を行なうには、予備動
作を設定しての新たなるエネルギー立ち上げ行為が必要とな
り、再びの断続挙動となる。

　この場面は、第4挙動の前足側の腕で行なう「上げ受け」と
は構造が異なり、後ろ足側の腕による「上げ受け」を行なった
為、上体は捻れているが、それにも拘らず同じく「上げ受け」
との解釈であるから、「小林流」では前足側の腕で受けようが、
後ろ足側の腕で受けようが、同じく「上げ受け」であると解釈
している事となり、大雑把な解釈法である事が分かる。

　これはナカナカ興味深い挙動名で、「ナンバ行為」ではない
事から沖縄作の挙動ではなく、中国拳法動作が原型と思われる
が、挙動の形は中国拳法のままであろうとも、「上げ受け」と
いう挙動名を付けたのは沖縄人ではなく、本土人なのであろう。

上体を捻じっての行為が力を持たない事は、相撲の力士がこの構えをとらない事からも分かる。力士の「突き押し」は、突き出す腕と踏み出す脚が同側である「ナンバ運動法」を用いる。

　実感としては、サイドブレーキが外れたクルマが坂道を滑り落ちて来る光景を想定すれば、これを片手で支える際、後ろ足側の腕で支える者は居まい。それは何故であろうか。

　上体が捻じれた体勢をとれば圧力が逃げるという事は、理屈は知らぬとも、誰しもが日常経験から無意識に行なう事である。

　ナンバ運動法を用いる「首里手・ショウリン流」空手家も、挙動名とこの運動法に違和感を抱いてはいたが、原型だけは踏襲したのであろう。

　この右足を前足とした捻じれ姿勢の「左上げ受け」は、言わば第4挙動「右上げ受け」構えから、第5挙動へと左足一歩踏み出した直後の移動完了姿勢とも考えられ、この体勢から行なわれる「技」とは、第5挙動のような着地と同時の「技」ではなく、移動完了し、その後に行なわれた「技」であると考えられる。

第7挙動　そのままの位置にて「左拳押さえ受け」と同時に「右裏拳突き」を行なう。

可。前挙動は「上げ受け」完了姿勢である為、この場面は新たに「押さえ受け・裏拳突き」を行なう為のエネルギーを立ち上げねばならず、例によって瞬間的に上体を撓らせ、その戻り運動を利用しての挙動である。

　第5挙動とは異なり、「既に捻じられた構え」からの「押さえ受け・裏拳突き」となっており、この挙動が正しいとすれば、「押さえ受け・裏拳突き」は体移動を設定せずとも行なえる挙動であるも、上体捻じり行為だけは必要であるという事になる。つまり、移動完了し、その後に突き上げたか、或いは移動はせず、その場で足を差し出してから突き上げただけの行為であったかかの、どちらかであると考える事が出来るのだ。

　既述のとおり、上体を捻じれば「上げ受け」行為の威力が失われる事から、この場面に「上げ受け」の威力は必要とされてはいないと考える事ができ、つまり「受け技」ではないと考える事が出来るのである。そして「松林流」にこの「上げ受け」挙動が存在しない事からも、「上げ受け」の「受け技」解釈は、「小林流」の細切れ解釈によるコジツケ挙動名ではないかと考えられるのである。

　そこで、第6挙動には回転動作が存在し分かりにくい為、第6挙動「右足前猫足立ち・左上げ受け」の前に「左足前猫足立ち・左上げ受け」挙動が存在したと仮定し、その挙動から右足を一歩踏み出しただけの形が第6挙動であるとする。

　右足を一歩踏み出す際、「左上げ受け」の腕が存在しなかっ

たならば、肩の動きはどうなるであろうか。右足の踏み出し行為と共に、腰も、両肩も左回転するのではないだろうか。

　しかし、「上げ受け」の左腕が存在すれば、右足を踏み出そうとも、腰にも、肩にも回転運動は存在せず、上体には捻じれ現象を抑えようとする力が生じる筈だ。「壁」である。「上げ受け」の腕が壁となり、腰や肩の回転を防いでいると考えられ、その後は、抑えられた回転エネルギーを解放するだけである。この「上げ受け」は「ナイハンチ初段・第10挙動・右外受け」と同様の意味を持つと考えられる。「左上げ受け」の腕を「左押さえ受け」の形で解放すれば、左の壁を失った腰や両肩の回転運動が始まり、右腕が突き上げられるという構造なのであろう。

　これは、「ナイハンチ初段・第11挙動・外受け・下段払い」と同様の構造と考えられ、この場面の「受け技」としての発力行為「上げ受け」は設定の必要はないが、壁としての左腕は必須であると考えられる。

第８挙動　左足軸に右足を北方へ引き、西向きの「四股立ち」となり、やや伸び上がるように「右上段上げ受け」を行なう。

8

不可。「松林流」にこの挙動は存在しない。
　「上げ受け」挙動はこれまでに、第４挙動「猫足立ち」の前足側の腕による「上げ受け」、第６挙動の捻じれ姿勢での「猫足立ち」の後ろ足側の腕による「上げ受け」、そしてこの場面の「四股立ち・上げ受け」という、三種類の「上げ受け」が登場した。

　つまり「上げ受け」とは、如何なる体勢でも行えるという解釈である事から、威力を必要とする直接的な「受け技」そのものではないと考える事ができる。

　この場面の両足並列姿勢で踵重心の「四股立ち」挙動という前後への不安定な姿勢は、「上げ受け」という「受け技」を行なえる姿勢ではなく、単に腕を上げるだけの運動しか行なえない「立ち方」であり、前方からの圧力に対しては簡単にバランスを失う事は、「ナイハンチ」で説明した通りである。

　更に、両足並列姿勢で上体が捻じれないにも拘（かかわ）らず、「左引き手」を設定している事から、「引き手」の意味も理解されていない。この事から第4挙動「右上げ受け」の「左引き手」も否定する事が可能となった。つまり、「上げ受け」挙動に「引き手」の必要はないと考えられる事から、「上げ受け」挙動に威力を創り出す為の「引き手」設定の必要はなく、「上げ受け」は「受け技」ではないと考える事ができる。

　実は、この「引き手」解釈が「小林流」の全ての挙動に悪影響を与える事になっているのであるが、詳しくは後述する。この場面で言える事は、この「四股立ち」構えを「上げ受け」と解釈した為、エネルギーを消失し、両腕を上げただけの居着き姿勢となり、次挙動への移動の為には床を蹴って移動せざるを得なくなり、その移動法により、次挙動を行なうエネルギーを消失する悪循環が始まる。

第9挙動　左足を西方へ出し「左足前猫足立ち」となりつつ、
「右拳押さえ受け」と「左裏拳突き」を同時に行なう。

9

不可。考えるべきは、前挙動の「四股立ち・上げ受け」の両足並列姿勢から、如何にして左足を一歩踏み出すかという事である。

「上げ受け」という少なからず腰を反らせた姿勢から、右足で床を蹴って左足を一歩踏み出そうとすれば、上体は更に反り返る。

その反り返り姿勢の戻り運動を利用して「押さえ受け・裏拳突き」を行なっているが、このような伸び縮み運動で武技の威力が創り出せると考えているのであれば、ワザワザの武術稽古の必要はあるまい。素人ですら入門即日可能な行為である。

ここまで「押さえ受け・裏拳突き」が可能であったのは、「猫足立ち」が両足を前後に開いた「立ち方」だからであり、両足並列姿勢であったならば「ナイハンチ」の如く、横移動のみが可能なのである。ではこの場面で威力のある「押さえ受け・裏拳突き」が可能かと言えば、それが第7挙動の運動法である。

「四股立ち」姿勢のまま左足を前方へ出すだけで、第7挙動同様の捻じれ姿勢となれる。

あとは第8挙動同様の行為を行なえば良いのである。その要領説明の為の「四股立ち」挙動だとすれば穿ち過ぎであろうか。

第10挙動　右拳を右腰に引き付け、その場にて「左上段上げ受け」。

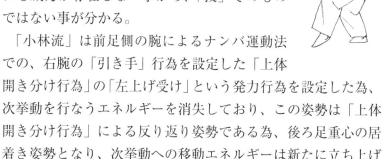

10

不可。「松林流」のこの場面が「左足前猫足立ち・右内手刀受け」という逆側の腕による行為である為、原型がナンバ運動法を用いてはいなかった事が分かるのであるが、この「内手刀受け」にも威力が存在しない事から、「技」そのものではない事が分かる。

　「小林流」は前足側の腕によるナンバ運動法での、右腕の「引き手」行為を設定した「上体開き分け行為」の「左上げ受け」という発力行為を設定した為、次挙動を行なうエネルギーを消失しており、この姿勢は「上体開き分け行為」による反り返り姿勢である為、後ろ足重心の居着き姿勢となり、次挙動への移動エネルギーは新たに立ち上げねばならなくなった。

第11挙動　右足踏み出し「右足前猫足立ち」となり、「左拳押さえ受け」と同時に「右拳裏拳突き」を行なう。

11

不可。前挙動とこの場面とを分割解釈し、前挙動を「上げ受け」という発力行為と解釈した為、移動エネルギーを失い、「左足前猫足立ち」の後ろ足で床を蹴り前進するが、この行為で「技」を行なうエネルギーを消失する為、左足への重心移動完了時点で上体反り返り姿勢の予備動作を設定し、一時停止状態で腰にタメを創り、その戻り行為で右足踏み出し、着地と同時の「右

拳裏拳突き」を行なうという、伸び縮み運動による断続挙動となっている。

　「押さえ受け」の構造から、「猫足立ち」の軸位置を検証する。

　「小林流」は「猫足立ち」の事を「七三立ち」もしくは「浮足立ち」と言う。

　これは重心位置が両足間七分対三分の位置に存在するからであるが、建前では理解するも、実感を伴わないようで、「引き手」の設定から後ろ足が軸足であると解釈している事が分かり、後ろ足に「技」を行なう為のエネルギーや、移動の為のエネルギーを立ち上げている。

　「裏拳突き」は肩の突き出し運動と共に行なわれるが、「押さえ受け」は肩が後方へ引かれる運動法で行なわれており、押し出し運動ではなく、或る意味、この七分対三分の軸位置に向かって押し込まれた「引き手」とも言える。

　「押さえ受け・裏拳突き」の要領を簡単に説明すれば、机を前にして座り、右手で机表面を押さえ付ける力で上体を浮かせつつ、左拳を突き上げるという運動である。

　「松林流」の両腕の行為も「内手刀受け」という「受け技」ではなく、机を押さえにいった「手」なのであり、中国人の示範演武の流れるような挙動の区切り箇所を見誤ったのであろう。

　「小林流」の場合は、棒術の「ナンバ意識」を適用したアレンジ失敗挙動で、その根本原因は「第５挙動・上げ受け」の「引き手」解釈であるが、詳しくは「公相君（大）・第30挙動」で述べる。

　「押さえ受け・裏拳突き」は軸位置に向かって行なわれる行為である筈が、「猫足立ち」の構造を理解できず、軸位置意識を持てなかった事が、「ショウリン流」が「中段突き」の一つ

も完成させる事が出来なかった理由である。

「猫足立ち」は前足が「爪先立ち」である為、「前屈立ち」のように重心移動を用いる武器術運動法を用いる事はできない。

「猫足立ち・押さえ受け・裏拳突き」挙動の構造を纏める。

「猫足立ち・押さえ受け・裏拳突き」は、「爪先立ち」の前足の蹴り返し行為と、「押さえ受け」というポンプ作業の圧力行為で「裏拳突き」という「水」を汲み上げているのであり、重心移動の必要はなく、その場行為が可能で、両腕は上下逆方向運動を行なう為、外方向へ向かっての「払い出し運動」は行なえない。この挙動は、移動後の接近戦の技術である。

第4挙動が「上げ受け」ではなく、「内受け」という上体を閉ざす運動であれば「第5挙動・押さえ受け・裏拳突き」は行なえないのかと考えるべきである。

この挙動は空手理念ではなく中国拳法理念で構成されている為、エネルギー創出法、運動法、発力段階に至るまでが全て中国拳法であるが、「裏拳突き」挙動の運動法がこの後の「首里手・ショウリン流」の「突き技」の構造とは全く異なる為、アレもコレものゴチャ混ぜ訓練法は避けるべきで、結局、どっちつかずの武技を創る事になっている。

第12挙動　前の右足に左足引き寄せ、交叉させての「交叉立ち」となる。目線はそのままで、右手を上にし、両掌20センチ程度離して向かい合わせ、右腰位置から両手でボールを持つかの如く、腰の高さで左方向へ移動させる。左腰付近に達してより両掌反転、両掌向かい合わせたまま上昇、左掌が上となり、胸の高さで体左側より右方向へ移動させ、「四股立ち」となりつつ両掌を拳に変え、元の右腰へ位置させる。左拳が上。

可。中国拳法理念である。

　身体意識の粗い空手家には絶対に理解できない挙動であり、挙動名が付かない事からもそれは分かる。

　右足を軸とした不安定姿勢の「交叉立ち」であるから「技」ではなく、次挙動への流れの一部であると捉えるべきであるが、次挙動と繋がりのない独立した挙動と解釈した為、挙動完結の一時停止状態となっている。この挙動もまた、中国人演武を見て覚えただけの挙動なのであろう。

　左足が引き寄せられている事から、右足には引き付けるだけの力が働いている事が分かり、次挙動はこの力の解放運動で行なわれる事を知るべきである。本来ならば「交叉立ち」の右足に絞り込みを創り、次挙動で「左横屈立ち」となりつつ、「突き技」を行なう挙動なのであろう。

第13挙動　右足軸に左足を東方へ開き、両拳を右腰に重ねて 構えた正面（南）向きの「四股立ち」となる。

不可。「チントウ」には横方向への「突き技」や「受け技」を行なう「四股立ち」が設定されているが、この場面は正面方向に対峙した「四股立ち」設定である。つまり目線方向と「立ち方」には関係がないと捉えている事が分かる。

　「ナイハンチ」と同じく、両足並列姿勢であるが、その「立ち方」がどういう構造を持つかを理解できず、次挙動には「外八字立ち・正拳中段突き」を設定している。因みに、「ナイハンチ立ち」や「四股立ち」、「外八字立ち」等の両足並列姿勢とは言わば、幅26〜27センチ程度の建築現場の足場の上に立っているようなもので、後方からの力に対しては足指の力で辛うじて耐えられるが、前方からの力には弱い。

　故に、この場面の「四股立ち」は前方から押されれば、後方転倒は避けられない。「四股立ち」は踵重心だからである。

　次にエネルギーについて説明する。前挙動の中国拳法運動法により、右足に右方向への捻じり現象が生まれたが、この場面で「四股立ち」の両足均等重心姿勢を創った為、腰の左回転運動により、捻じり現象が解放され、第12挙動の設定が無駄となってしまった。

　前挙動の設定を理解できない事から、ここからは作者が異なる事が分かるのである。

　更に、両足並列姿勢の「四股立ち」から次挙動へと立ち上がる行為は、踵の力を利用する事となり、踵の力で次挙動の「外八字立ち・正拳中段突き」は行なわれる事になるが、「中段突き」の衝撃を両足並列姿勢の踵の力で支える事はできない。

第14挙動　「外八字立ち」に立ち上がりざま、左拳を左腰へ引き付けつつ、上体を伸ばして「右拳中段突き」を行なう。

14

不可。「首里手・ショウリン流」初の「正拳中段突き」を、このような形で示した。

　前挙動「四股立ち」姿勢からの立ち上がり運動が、両足踵の力を利用して行なわれる行為である事は、試してみれば誰にでも簡単に分かる。

　よってこの「中段突き」に足指の使用はなく、両足踵の力で押し出された右腕であり、前方へのエネルギーは持たず、前方からの反発力には耐えられない。

　両足並列姿勢であるから「ナイハンチ立ち」同様、腰が捻じれない為、「左引き手」設定には意味がない。

　脊椎を軸とした棒の水平振り回し運動を、「正拳中段突き」の運動法に適用したものと思われるが、この矛盾に、拳聖と言われる糸洲安恒も、その弟子である知花朝信も気付けなかった。

第15挙動　左足を僅かに東へ開き「左横屈立ち」となり、下から大きく「右拳外受け」を行なう。

15

不可。「松林流」にこの「横屈立ち」挙動は存在せず、また第18挙動から始まる「猫足立ち」挙動との繋がりに不自然さがある事から、この挙動は「小林流」創作の棒術アレンジ挙動と考えられる。

　「横屈立ち」という広いスタンスの構えは、武器術のものであり、棒術動作であるが故に、

「下から大きく」の挙動説明法となっている。

「左引き手」の設定から、左足が軸足と解釈している事が分かるが（「引き手」とは軸足に向かって行なうものである）、前挙動「外八字立ち・右中段突き」の「引き手」は左腕である事から、軸足は左足となる。

前挙動の踏ん張り行為で移動させにくい筈の左足を、この場面の「左横屈立ち」を創る為に移動させた。これは素手武術の運動法ではなく、武器術のナンバ動作の「膝の抜き」による移動法であり、逆足である右足の床を蹴る行為は行なわれてはいない。

棒術ならばこの移動法での「受け技」は可能であるが、素手武術の場合は武器に匹敵するだけのエネルギーを立ち上げねばならず、ボクシングのように逆側の足による蹴り返し行為が必要である。つまり棒術運動法で「外受け」という素手武術行為を行なった為、威力を創り出せずにおり、それが原因で「下から大きく」の予備動作設定を是とした挙動説明文となっている。この場面は、右腕の移動の後に左足を移動させるべきである。つまり、左足を着地させてから受けるのではなく、右腕の移動により上体を傾斜させ、着地足の踏み付け行為により、上体を開き分けての「右外受け」とすべきである。この挙動から分かるように、武器術と素手武術の運動法をゴチャ混ぜにして訓練した結果、武術的運動法を理解できず、「下から大きく」の説明文に違和感を抱けない身体ができあがっているのである。

古伝武術家、黒田鉄山氏の「身体に訊け」とはこの事であり、「型稽古」により、運動法の矛盾に気付けるだけの身体を創らねばならない。

第16挙動　「外八字立ち」に立ち上がりざま、上体を伸ばして「左拳中段突き」を行なう。

不可。これも棒術動作である。

　前挙動「左横屈立ち」から立ち上がるには、左足で床を蹴って立ち上がるしかないが、立ち上がりつつ「左中段突き」を行なっている。

　左足の床を蹴る行為で得られたエネルギーで、立ち上がり行為と「突き技」の両行為を行なわねばならないが、このような行為は不可能である。

　仮に、この場面に「右外受け」の腕が存在しなければ、「左横屈立ち」姿勢から「外八字立ち」へと立ち上がる事はできない。つまり、前挙動「外受け」の右腕の引き付ける力で立ち上がったのである。これは、右腕で帯前を握り、右腕を使用せずに立ち上がる事を試みれば分かる。

　これは棒術の「ナンバ動作」であり、この「左中段突き」の実体とは、左足の立ち上がり行為と共に右足で上体を右方向へ引き寄せた左腕の「振り出し運動」であり、軸足は右足である。

　左手に砲丸を持ち、「左横屈立ち」から「外八字立ち」へと立ち上がりつつ、正面方向へ砲丸を投げる事が可能であろうか。とても本気設定の挙動とは思えず、工夫もなく棒術動作の外形を素手武術型に適用した為、醜態を晒す結果となっている。

第17挙動　右足を僅かに東へ開き、「右横屈立ち」となりつつ、下から大きく「左外受け」を行なう。

不可。「左中段突き」は右腕が「引き手」である為、右足が軸足となるが、右足膝を抜き、上体を右方向へ倒す棒術動作を行なった。

17

　上体傾斜の運動方向と「左外受け」の運動方向とが逆方向である為、エネルギーの切り返し行為を必要とし、着地後、改めて着地足にその力を創り出す為に、「下から大きく」という芸能動作のような悠長な挙動を設定した素人作である。

第18挙動　左足軸に右足を正面方向（南）へ踏み出し、「右足前猫足立ち」となり、「右手刀下段払い」を行なう。右肘横へ左掌を上向きにして添える。

不可。「右横屈立ち」の軸足で床を蹴り、左足を軸足として立ち上がる行為は「横屈立ち」が広いスタンスであるだけに大きなエネルギーを必要とし、しかも次挙動が左足を軸足とした「受け技」であれば一挙動で行なえる筈はなく、挙動設定法に問題がある事が分かる。

18

　「右横屈立ち」からの移動は、右足軸に立ち上がるべきである。「右横屈立ち」から右足で床を蹴って逆方向へ立ち上がるとはエネルギー消失行為であり、新たに次挙動を行なうエネルギーを立ち上げねばならなくなる為、「下段払い」の予備動作として、前進方向とは逆方向

75

への振り被り動作を設定している。

　右足前の構えでの「払い出し運動」であり、「受け手」の右肘横に「添え手」としての左掌が存在するこの形は、両腕同時同方向運動の棒術動作であるが、「猫足立ち」の素手武術の「立ち方」で棒術動作を行なっているのである。

　前挙動「右横屈立ち」から立ち上がり「右足前猫足立ち」となる行為は、肩が左回転をする運動であり、左肩の引き上げる力で立ち上がったとも言える。

　しかし「猫足立ち」完成後の「右下段払い」は、肩の右回転運動で行なわれるも、立ち上がり行為自体は身体の左回転運動である為、これは逆方向への行為であり、これが予備動作の形となっている。

　つまり、型に於いて、身体の移動を次挙動のエネルギー立ち上げに利用できないという駄作挙動なのである。これは野球投手の投球フォームを参考にすれば理解できる。投手は、前方への投球の為に、後方へ上体を捻じる予備動作を設定する。

　この場面の「右足前猫足立ち・右下段払い」も同様の行為であり、前挙動「右前屈立ち」から右足で床を蹴り立ち上がれば軸足である左足に左回転運動のトルクが働く。

　しかし、次の動作は左足を軸として右足を踏み出しての「右下段払い」であるから、回転運動の切り返し行為という予備動作が存在することになる。ルールで守られたスポーツならばこの運動法で構わないが、武技に予備動作設定は命取りである。

　「松林流」挙動は面白く、両腕同時同方向運動ではなく、体前で小枝を折るような両手の逆方向運動であり、これは「押さえ受け・裏拳突き」挙動と共通する運動法である。

第19挙動　左足進め「左足前猫足立ち」による「左手刀下段払い」を行なう。右手は掌を上向きにし、左肘横に添える。

19

不可。「首里手家」はどうしても「ナンバ動作」から抜け切れず、移動時、左足を踏み出す行為と共に左肩を右回転させる振り被り動作を設定しエネルギーを立ち上げ、その切り返し行為で「下段払い」を行なっている。

「猫足立ち」の素手武術の「立ち方」ながら、上半身は棒の振り回し行為を行なっているのであり、この有様では素手武術の運動法が身につく訳がない。

武器術は体移動自体が「技」を行なう為の予備動作であるから、極言すれば、如何に素早く体当たりするかの要領と言えるが、ボクシングなどの素手術は体移動完了後、後ろ足で床を蹴る事でエネルギーを立ち上げる。「首里手・ショウリン流」は、移動の最中に予備動作を設定し技を行なうエネルギーを立ち上げている。

第20挙動　同じく右足進め、「右足前猫足立ち」による「右手
　　　刀下段払い」を行なう。左手は掌を上向きにし、右肘横に
　　　添える。

20

不可。例えば、「下段払い」と「追い突き」は、同じく左足一歩踏み出してからの行為であるも、その構造は腕の運動方向が異なり、「左追い突き」の場合は肩が右回転運動をし、「左下段払い」の場合は左回転運動である。これは「捻じ込み運動」の「突き技」と、「払い出し運動」の「受け技」の運動法の違いから生じており、これは「チントウ・追い突き」挙動と比較すれば明らかで、「猫足立ち」という共通の「立ち方」で、アレもコレもの運動法が可能である筈がない。

第21挙動　後ろの左足軸に前の右足を北方へ引き、「左足前猫
　　　足立ち」となり、正面方向へ下から「左かぎ手受け」を行
　　　なう。「右かぎ手」は水月<small>すいげつ</small>に。

21

不可。「猫足立ち」は両腕同時同方向運動を可能にはせず、次挙動の切り返し運動の存在からも、「受けた」のではなく、「手繰<small>たぐ</small>り寄せた」と考えるべきである。前挙動終了の「右足前猫足立ち」の「爪先立ち」の前足で床を蹴り返し大きく後退するが、この行為により「受け技」を行なうエネルギーを移動行為のみで消失している。

　そこで移動終了後、「猫足立ち」の後ろ足軸解釈から、後ろ

足重心の反り返り姿勢を設定して「受け技」のエネルギーを立ち上げ、その戻り行為で両腕を振り出すという「ナンバ運動」での「左かぎ手受け」を行なうが、右手は添え手程度の扱いであるも、何故か同じく「かぎ手」の形をしている。

　「手繰り寄せ行為」解釈を行なえば右手の「かぎ手」の形にも納得がいこう。

　「猫足立ち」の軸位置を正しく把握していれば、移動終了後の「反り返り行為」による「受け技」の為のエネルギー立ち上げ行為の必要はなかった筈だ。

第22挙動　後ろの右足軸に左足引き寄せ、正面（南）向きのまま右足で立ち、左足前の「掛け足立ち」となり、体を僅かに左方向へ捻じり、両拳、甲を上にして左胸前へ引き付ける。

不可。前挙動に「かぎ手受け」という挙動名を付け、完結した挙動と解釈し、停止姿勢となった。

　この場面との繋がりはないと解釈した為、この挙動は改めてエネルギーを立ち上げねばならず、一度両腕を水平に伸ばしてエネルギーを立ち上げ、それを引き付けての行為である。

　しかし、この場面に挙動名は存在せず、何を行なっているのかの説明もなく、前挙動から再びの停止姿勢である為、独立した挙動との解釈である事が分かる。両腕を左胸前へ引き付け、上体を左方向へ捻じり、そして停止という挙動である為、相手を引き付けて振り回し、転倒させる行為が考えられる。

これは空手という打撃系格闘技の技術ではなく、組打ち系格闘技の技術であるが、「引き付け運動」と「突く」という「押し出し運動」とは、全く逆の運動である。

　ワザワザの「交叉立ち」や「掛け足立ち」という不安定姿勢で相手を引き付ける行為から遠心力利用の運動が考えられ、次挙動の「踏み付け行為」の一部と考えるが、細切れ解釈である為、停止場面が多く、挙動が一向に流れず、身体運用法を一向に学べない。

　組打ち系格闘技の技術であれば、相手を引き込んだ力を利用しての合気道などの切り返し行為が考えられ、右足軸の鋭い左回転運動で「掛け足立ち」となりつつ相手を左方向へ倒す、柔道で言えば「支え釣り込み足」のような回転技術が考えられる。

　恐らく、「右かぎ手受け」で引き込み、「左かぎ手受け」で切り返した行為ではないか。

第23挙動　左足軸に右膝を上げ、両拳甲側を上にして、右膝を挟むように両膝外側に添える。

23

不可。ここも挙動名がない。「踏み付け動作」ではなく、その直前の右膝引き上げ行為で停止となる為、型挙動として「動き方」を説明しようとするのではなく、あくまでも「外形」を説明しようとする意図が感じられる挙動である。「ショウリン流」の型創作概念を象徴する挙動と言えよう。

第24挙動　正面（南）向きのまま、「右足前猫足立ち」の上足底を強く踏み付けると同時に両拳を左脇へ強く引く。

不可。第20挙動では「右足前猫足立ち」の前足で床を蹴って後退し、第21挙動で「左足前猫足立ち」となった。この運動法で「猫足立ち」の前足は蹴り返し運動を可能にする構造を持つ事が分かるが、これは「その場ジャンプ」の足首の運動法と同じで、その運動法での踏み付け行為が不可能である事は明白である。

24

　この挙動は「踏み付け行為」ではなく「踏み切り行為」にしかならず、踏みつけた瞬間、上体は浮き上がるであろう。

第25挙動　南向き「右足前猫足立ち」の右足を軸に270度背面回転し、西向きの「左足前猫足立ち」となり、下から「左かぎ手受け」を行なう。「右かぎ手」を水月位置に。

不可。後退運動で「かぎ手受け」を行なう事と、背面回転運動で「かぎ手」を振り出す事が同じ運動法であると考える程の素人作である。

25

　「猫足立ち」の後ろ足を軸にしての270度もの背面回転運動は、武術的必然性からのものではなく、武術的運動法を無視しても演武方向の調整に拘<ruby>こだわ</ruby>っている。こういう運動法の繰り返し練習から、武術的身体運用法を理解できない身体が出来上がるのである。

第26挙動　前足の左足を軸とし180度右回転、東向き「右足前
　　　　猫足立ち」となり、下から「右かぎ手受け」を行なう。水
　　　　月位置に「左かぎ手」を添える。

26

不可。前挙動の爪先立ちの前足踵を下ろし、こ
れに重心移動すれば、前足方向への運動エネル
ギーが働く。これは階段上りの場合と同様の現
象であるが、このエネルギーを切り返して「受
け技」を行なえば、反り返り姿勢からの「引い
て」「出す」という大袈裟な運動法となり、予
備動作を設定した、上方から被せる様な「受け
技」となる。

第27挙動　「右足前猫足立ち」のまま、後ろの左足軸に90度左
　　　　回転し北向きとなり、下から「右かぎ手受け」を行ない、
　　　　「左かぎ手」を右肘横に添える。

27

不可。右足を前にした立ち方による、後ろ
足軸での左回転運動が可能であると考えて
いる。
　ここまでは背面回転運動を行なってきた
にも拘らず、何故、この場面では前方回転
運動が行なえるのであろうか。理が無く、
「猫足立ち」の構造の捉え方が曖昧である
為、どのような運動法も可能であると考え
ている。
　空手の練習をしながらも、武器を持った相手と対峙した場
合、左右どちら側へ回るべきか知らないのであろう。

第28挙動　左足軸に右足を引き寄せ、右足踵を僅_{わず}かに浮かせ
　　　ての「結び立ち」となる。

不可。この挙動は原形のままと考えられる。

28

　この場面で立ち上げ、次挙動で放つ挙動であるが、身体意識の粗い空手家はこの挙動の意味を理解できず、何等かの「受け技」と捉えて力一杯行ない、次挙動を行なうエネルギーを失っている。

　「構える」との挙動説明文であれば、本来はユックリとした動作であった筈だ。「型」には「技」そのものではない挙動も存在するという事を、首里手家は「髭取り払い受け」の昔から知らない。

　「松林流」もこの場面に「猫足立ち」での「上段割受け」という挙動を設定し、発力行為によるエネルギーのばら撒き行為を行なっている。

　この挙動は「第5挙動・上げ受け」と同様の意味を持つと考えて良く、跳び出し行為の為の「ヨ〜イ」の段階で「公相君（大）・第1挙動」にも通じる構えである。

第29挙動　右足から大きく北方へ踏み出し、「右足前猫足立ち」
となりつつ、甲を下向きにして、左右より両拳で挟むように
中段に打ち込む。

29

不可。両流派ともに前挙動を何等かの発力行為と解釈し力一杯行なった為、前挙動は挙動完了の停止姿勢となっており、この場面へは後ろ足である左足の力で前足を押し出すしかなく、「挟み打ち」のエネルギーは移動の最中に上体撓（しな）り行為の予備動作を行なう事で立ち上げている。

　　前挙動「結び立ち」の構造を理解していれば、このような無様（ぶざま）な挙動にはならなかった筈で、筋肉鍛錬のみの日々の練習から、武術の造詣（ぞうけい）が深まるという事はない。

第30挙動　右足僅かに引き、「右足前猫足立ち」のまま両拳左
腰に引き付け、重ねて構える。

30

不可。ここからは棒術動作であり、武器術と素手武術の運動法を混同した挙動となっている。

　　後ろ足が軸足であるとの判断から、右足前の構えで両拳を左腰に引いた為、次挙動の移動は後ろ足の力による押し出し運動となった。

　　因みに、前挙動は拳甲部下向きであり、両拳で挟むように打ち込んだ為、両腕は絞り込まれた緊張状態にある。

緊張状態の右腕を逆回転させながら左腰に引き付ける行為は脱力行為にしかならない。

第31挙動　前の右足から大きく寄り足^{あし}して北方へ進み、「右足前猫足立ち・両拳双手突き」。

不可。「首里手・ショウリン流」は「ナイハンチ」以来、未だ「猫足立ち・中段突き」挙動を示しておらず、この場面が初の「猫足立ち・正拳突き」であるが、それを「双手突き」の形で示した。「小林流」の棒術思考法による設定である。

31

　両拳を同時に突き出す棒術動作である為、通常の素手武術に見られる「引き手」の設定はなく、上体に捻じり行為も存在せず、相手に正対したナンバ姿勢での移動である。

　後ろ足で床を蹴りスタートするが、最初の一歩で「技」を行なうエネルギーを失った為、移動の最中にそれを立ち上げたい。

　しかし、挙動説明文は「寄り足して進み」という「『猫足立ち』構えのままに」という指示であり、両腕を揃えて体前に突き出している為、上体の構えを崩す事ができず、撓り行為も、捻じり行為も行なえず、得意の予備動作の設定ができない。

　よって、両腕で「突く」のではなく、両腕で「突き飛ばす」スタイルの「突き技」となっており、着地後、或いは移動終了後にしか行なえない。

　「首里手・ショウリン流」は初の「突き技」を、この様な形で示した。

第32挙動　前の右足軸に180度左回転、正面向き「左足前猫足立ち」となり、「右拳上段外受け」、「左拳下段払い」により、両腕を前後に開き分ける。

32

不可。両腕を前後に開き分ける行為であるが、素手武術ではなく、長柄の武器を構えた姿勢と考えるべきであろう。目線とは逆方向に位置する腕を「右外受け」と解釈するのが「小林流」であり、この辺りから挙動名など当てにならない事が分かる。前挙動「双手突き」が前足へ体重の乗った「突き技」であれば、この場面の方向転換は、後ろ足へ重心を戻し、前足をフリーにしてからの爪先の方向転換による、180度の回転動作であった筈だ。

しかるに前挙動がプッシュ行為の「カラ突き」であった為、「双手突き」終了直後であるにも拘（かかわ）らず前足が軽く、後ろ足への重心移動をせず、いきなりの前足の方向転換が可能である。

振り返りつつ、両腕を体中心に集める予備動作を行なってからの両腕の開き分け行為であるが、「右外受け」を後ろ足の引き付ける力で行なった為、居着き姿勢を創り出しており、次挙動へはこの後ろ足で床を蹴っての移動となるが、この行為により次挙動を行なうエネルギーを失うのは当然である。

第33挙動　後ろの右足を大きく正面（南）方向に踏み込み、右足で立ち、左足は右足の後ろに爪先立ちで添え、「右足前交叉立ち」となり、南方向へ「左拳外受け・右拳下段払い」を行なう。

不可。「交叉立ち」故、棒術動作に於ける次挙動への回転動作の一部なのであろう。

33

この場面は重心移動に忙しく、前挙動「猫足立ち」の後ろ足で床を蹴り左足へ重心移動して後、引き続き左足で床を蹴り右足から跳び出す。

以上の床蹴り連続行為に「外受け・下段払い」を行なうエネルギーは存在しない為、右足の急ブレーキ行為により「交叉立ち」姿勢で急停止すると同時に両腕を体前に集めてタメを創り、それを分け開く力による「外受け・下段払い」行為であるから、移動停止後に行なわれた行為である。

先述したが、移動完了し、それから「技」を行なうのが「首里手・ショウリン流」の常套手段であるが、真の武術挙動ならば、着地足の「ドン！」という音と共に「外受け・下段払い」は行なわれるべきである。

第34挙動　右足軸に左回転、北方へ向くと同時に北向きの「左足前猫足立ち」となりつつ。右拳を右腰に引き付け、その上に「左手刀」の甲側を置き、「左裏手刀受け」を北方へ打ち伸ばす。

34

不可。「『左手刀』を打ち伸ばす」とある事から、前挙動「交叉立ち」から回転し、棒を突き出した挙動なのであろうが、「猫足立ち」である為、前足への重心移動はなく、後ろ足のみの力による棒術行為である。ワザワザ「裏手刀」の形となっている事から、左掌は外旋回転の払い出し運動を行なっている事となり、棒による「受け技」行為が考えられる。

　「松林流」はこの場面を「前屈立ち」で処理しているが、次挙動との関連から、それが原型と思われる。

第35挙動　伸ばした左掌を右足で「回し蹴り」。

35

不可。右足による「蹴り技」であるから、「小林流」の前挙動は間違いである。

　右足で「蹴り技」を行なうのであれば、前挙動の重心位置は左足であるべきで、即ち「松林流」のように「前屈立ち」となるべきである。但し、この「蹴り技」は「回し蹴り」ではなく「松林流」解釈通りの「足裏受け」であろう。その解釈法から前挙動の実体が見えてくる。前挙動で、相手の棒の攻撃を受け止め、

この場面で、その棒を足裏で払いのけたものと思われる。

第36挙動　蹴った右足着地し「右足前猫足立ち」となり、「右裏拳」を打ち込む。左掌を右肘横に添える。

不可。「右裏拳」に「添え手」を設定しており、両腕同時同方向運動であるから、引き続きの棒術挙動と思われる。

36

　「裏拳打ち」に「添え手」を設定するなど、「小林流」は「ナイハンチ」の昔から「裏拳打ち」の要領を知らない。

　「右回し蹴り」終了し、着地しての「右足前猫足立ち」で、前足は「爪先立ち」である為、重心移動ができず、後ろ足に重心を残したままでの「裏拳打ち」であるから、インパクトの瞬間は上体が反り返り姿勢となるが、そもそも前挙動「回し蹴り」から身体は左回転運動をしているのであり、この場面の「右裏拳打ち」も右腕での行為である為、同じく左方向への運動である。ならば、この左回転運動のどの場面で「裏拳打ち」のエネルギーは立ち上げられているのであろうか、振り被り動作の予備動作は、どの場面での設定が可能なのかが問われなければならない。

　結局、回転途中に予備動作が設定できず、蹴り足着地後に右腕を振り被る事でエネルギーを立ち上げ、それからの行為となっており、重心移動を伴わないだけに、右前腕の移動だけによる、ドアノック程度の行為となっている。

第37挙動　北向き「右足前猫足立ち」のままで定位置。右腕を「裏拳打ち」終了形で空間に停止させたまま、左拳を大きく後方から回し、甲を上にして打ち込む。

37

不可。前挙動「裏拳打ち」終了の右腕を空間に固定したままでの挙動である。

「裏拳打ち」終了の腕が体前に存在する為、左拳を振り被ろうとも、上体が捻じられる事はなく、相手に正対した姿勢のままでの左腕だけの前方回転運動である。

この挙動が空間固定の右腕を支点とした棒の左半分の回転運動である事は想像がつくが、その運動法をそのまま、素手武術として転用してしまうところが如何にも素人である。

第38挙動　北向き「右足前猫足立ち」のまま、左拳は前挙動のままで停止、「右裏拳打ち」終了の右拳を大きく後方より回し来て、甲を上にして打ち込む。

38-①

不可。前挙動終了し停止状態にある為、新たなエネルギーを立ち上げねばならず、右拳を大きく後方へ振り被る予備動作を設定する事で振り下ろし行為のエネルギーを立ち上げている事から、予備動作の設定は当然の事と捉えている事が分かる。しかも「振り被り動作」は後ろ足の力による反り返り行為である事から、後ろ足が軸足との解釈である事も分か

90

38-②

る。つまり、挙動の構造自体が「移動」を前提とはしていない、「居着き姿勢」創出の為の挙動であるという事になるが、ならば、型で示す必要はなく、型挙動とは移動法、運動法を示す為に存在するのであり、挙動の外形のみを示したいのであれば、基本動作訓練の「その場突き」、「その場蹴り」と同様の訓練法を用いれば良い。

　上体捻じりのない「ナンバ行為」である事から、棒術動作である。

第39挙動　北向き「右足前猫足立ち」姿勢のまま、両拳左腰へ引き付け、重ねて構える。

39

不可。前挙動は「打ち込む」という、発力行為の挙動終了姿勢となっている為、この場面は次の「突き技」の為に新たにエネルギーを立ち上げねばならず、後ろ足が軸足であるとの解釈法から、両腕を左腰に引き付け、後ろ足に絞り込みを創った。よって、次挙動への移動は後ろ足で床を蹴って行なわれる事となり、この行為により、次挙動を行なうエネルギーは失われる事になる。

第40挙動　両拳左腰、北向き「右足前猫足立ち」のまま、右
　　　　足先で「半円」を描く。

40

不可。「小林流挙動」が如何に素人作
であるかが良く分かる場面である。
　「剛柔流・サンチン」などでこの「半円
描き行為」は用いられているが、「サンチ
ン」では半円を描いた足は前足となり、
これに重心移動する事で前足への絞り込
みが得られる。その際、足だけではなく
同側の腕も共に移動する為、半身に絞り
込みを創り出す行為である事が分かる。

　この場面は「猫足立ち」である為、前足が爪先立ちで重心移動
ができないにも拘らず、この行為を行ったが、前挙動の両拳左腰
への引き付け行為で得られた左腰の絞り込みは、この「半円描き
行為」で解放されてしまった。素人のやる事であるから仕方ない。

第41挙動　その場にて、両拳左腰の「右足前猫足立ち」から
　　　　の「双手突き」を行なう。

41

不可。前挙動の「半円描き行為」によ
り、絞り込みが解放されているにも拘
らず、「ナンバ行為」による棒術の「突
き技」を、突き出す直前に「猫足立ち」
の上体を瞬間的に反らせ、その戻り行
為で突き出した。
　「前屈立ち」ならば前足の引き付け
る力で行なう事ができた。

92

第42挙動　前の右足を引き寄せ、北向きのまま「結び立ち」
##　　　　　となり、両拳重ねて右腰に構える。

不可。前足である右足を左足の力で引き寄
せたのであれば、軸足は左足であるから、
両拳は左腰に引かれるべきであるに右腰に
構えた。

　軸足は左足で両拳は右腰、これは上体を
右方向へ捻じり、右腰にタメを創る行為で
ある。

　これは、素手武術のものではなく左足を
軸にした棒の振り出し運動直前の構えである。妙な事には、棒
の振り出し行為は右腰と右足とが同時に移動する「ナンバ動
作」で行なわれるべきであるが、これから行なわれる「双手突
き」は右足を軸足とした「左足前猫足立ち」での「双手突き」
であるから、右足の力で行なわれる事になる。

　左足の力で右足を引き寄せ、その後右足の力で技を行なうと
は、「結び立ち」姿勢の段階で軸足の交替があったという事で
ある。足の踏み替えは、捻じったゴム紐の一端を解放する事と
同様、エネルギーの喪失運動である。

第43挙動　右足軸に、前足爪先で内から外への半円を描きつつ、「左足前猫足立ち」となる。

不可。不思議な挙動である。

　前挙動の「結び立ち」での軸足交替行為でエネルギーは失われている。

　何のエネルギーも持たない左足を、意味も無く爪先で半円を描きつつ前方へ吊り出し、爪先立ちで着地させ「左足前猫足立ち」の完成と解釈しているが、重心移動が存在しない為、何事も起こりようがなく、「猫足立ち」の軸足である後ろ足の力で立っているだけである。

第44挙動　北向きのまま、その場での「左足前猫足立ち・双手突き」を行なう。

不可。素手武術の「猫足立ち」で立ちながらも、「引き手」を設定しない為、上体捻じり行為が存在せず、移動もない為、この挙動に威力のあろう筈がない。

　棒術の振り出し運動のアレンジ動作と考えられるが、仮に、この場面の棒の水平運動に威力を創り出そうと思えば、「右足前猫足立ち」の前足引き寄せつつ、右腰に両拳を引き付け、「結び立ち」となる瞬間が重要である。

　引き寄せた右足は軽く持ち上げてから、力強く踏みつけるべきで、踏みつける力により、右腰から両腕を振り出すエネル

ギーが創り出せる。

　結局この場面は、突いているのではなく、「押し出し運動」を行なっているに過ぎない。

第45挙動　左足を引き寄せ「結び立ち」。両拳重ねて左腰へ構える。

不可。これも右足の力で前足である左足を引き寄せ、左腰へ両拳を構えた棒の振り出し行為準備体勢のナンバ構えである。棒術ならば、次挙動は「前屈立ち」となり、前足へ重心移動すべきであった。

45

第46挙動　左足軸に右足爪先で内から外方向への半円を描きつつ、「右足前猫足立ち」となる。

不可。第43挙動と同じく、直立姿勢で軸足の踏み替え行為を行なった為、脱力状態となっているにも拘らず、右足を吊り出し、前足への重心移動が不可能な「猫足立ち」姿勢になるという挙動で、重心が後ろ足に偏（かたよ）る姿勢での行為であるから、威力は前方へは出ない。

46

第47挙動　その場にての「右足前猫足立ち」による「双手突き」。

不可。後ろ足を軸足と解釈しての行為であり、上体が棒術ナンバ姿勢である為、捻じり運動は存在せず、後ろ足による「押し出し行為」にしかならない。

　ここで考えるべきは、武器術動作と素手武術運動法の違いである。

　長柄の武器は両手で握る。その為、意識は体中心位置に存在するとは前述した。

槍を突き出す行為がこれであり、両手で武器を絞り込むような意識がある。

　「拳で突く」とは「引き手」設定により、脊椎を軸とした回転運動で行なわれる為、武器術のような体中心意識ではなく、両肩の先端を回転させる意識が働く。この両者の運動法をゴチャ混ぜに訓練すれば、武術的運動法を理解できない身体ができあがるというのが、黒田鉄山氏の「ダメな稽古はやればやる程、ダメになる」という事である。

　以上の「半円描き行為」からの「双手突き」挙動に移動がなく、その場行為であるのは、上体が正面方向に正体しているからで、挙動の形自体に問題がある事が分かる。

第48挙動　前の右足軸に180度左回転、正面（南）向き「左横<ruby>屈<rt>くつ</rt></ruby>立ち」となり、下から大きく「右拳外受け」を行なう。

不可。引き続いての棒術動作であり、「松林流」
も同様に設定している。

48

　前挙動「右足前猫足立ち」の前足で床を蹴り、
背面回転する事から、「猫足立ち」の前足が蹴
り返し構造を持つという事を証明する挙動であ
る。

　演武方向意識から、正面向き挙動を設定した
いが為に、必然性のない180度背面回転運動を
設定したが、回転方向と受ける方向とが逆方向である為、回転
ベクトルの切り返し行為である「下から大きく」運動を行なわ
ざるを得ず、演武方向の調整の為に無理な挙動を設定し、正し
い武術的運動法を犠牲にしている事から、「小林流」にとって
の「空手型」とは使える技術の修得が目的ではなく、型自体が
見せる為の芸能である事が分かる。

　両足並列姿勢の「横屈立ち」で、「右外受け」の上体開き分
け行為を行なった為、居着き状態となり、次挙動へのエネルギー
は新たに立ち上げねばならなくなったという、各挙動が独立し
た断続挙動である。

第49挙動　同じく正面向きで「右横屈立ち」となり、下から
　　　　大きく「左拳外受け」を行なう。

49

不可。「左横屈立ち」から「右横屈立ち」への変化であり、芸能意識からの左右対称動作の設定で、挙動設定の必然性はないが、この設定法はこの後「公相君」まで続く事から、これが「小林流」の典型的な挙動設定法と言える。
　前挙動、左足重心の「左横屈立ち」からこの場面の「右横屈立ち」へと移行する為には、軸足の蹴り返し行為を必要とし、更に上体の移動方向と受け腕の移動方向とが逆方向である為、構え姿勢の転換後、軸足を蹴り返し、新たなエネルギーを立ち上げてからの「受け技」となり、移動完了し、一時停止後の「受け技」という、緩慢動作となっている。

第50挙動　右足軸に90度左回転。東向き「左足前猫足立ち」
　　　　となり、下から「左かぎ手受け」を行なう。「右かぎ手」
　　　　は水月位置に。

50

不可。「右横屈立ち」から「左足前猫足立ち」への変化であるから、左足の引き寄せ行為が存在しており「引いて」から「出す」という二挙動動作であり、このような緩慢動作に慣れてしまう事が危険なのである。
　第5挙動の「押さえ受け・裏拳突き」と、第21挙動の後退しての「かぎ手受け」との共通点

を見つけ出し、「猫足立ち」運動法の構造を明らかにすべきで、第21挙動の「かぎ手受け」は、この場面のような「振り出し運動」を行なった訳ではない。

　発力行為解釈により、この場面で挙動完了の停止姿勢となっており、次挙動への回転運動の為には、新たなエネルギーを立ち上げねばならず、断続挙動が続く。

第51挙動　左足軸に180度右回転し、西向きの「右足前猫足立ち」となり、下から「右かぎ手受け」を行なう。「左かぎ手」は水月位置に。

不可。これも芸能意識からの左右対称動作の設定である。前挙動「左足前猫足立ち」の前足踵を下ろし、これに重心移動しつつ、振り返れば、技を行なう方向とは逆方向への上体傾斜が起こる。

51

　つまり、「受け技」を行なう右腕は東方向へ流れ、目線は振り向いた西方向となる。この姿勢が予備動作、引き付け動作の形となり、大きな動作からの西方向への振り出し運動を行なう事になる。

第52挙動　右足引き寄せ正面向き「結び立ち」となり、右拳を左掌で包み、帯の結び目位置で組んで終了。

52　　　　　　　　　　不可。中国拳法スタイルの終了姿勢である。

▲結論

　第12挙動までが中国拳法、その後は棒術動作とコジツケ解釈で成り立っており、第36挙動以降は素人作の芸能挙動である。

　「型は実戦で使えるか？」の論があるが、この様な型練習で武術が身につく筈はない。

　知花朝信がこの型を得意とし、師の糸洲安恒がそれを褒め、「君ほど上手にこの型を使う者を見た事がない。この型は大事に保存するように」と語ったという事であるから、拳聖と言われた糸洲安恒の武術認識力も知れたものである。

100

小林流・チントウ

○　首里手型「チントウ」について

　この型の出所（でどころ）は明らかであり、清朝末期、国内の混乱を避けた中国福州からの漂着難民がもたらした武術との事であるが、この難民は泊村の洞穴に住み、「カーミヌヤーの非人」と呼ばれていたそうである。

　「住人」ではなく「非人」との伝承であるから、難民への接し方は想像がつく。恐らく非人、非人とバカにし迫害したのであろう。その結果、手酷（ひど）い反撃に合う事によりその武術的実力を知り、その噂から琉球武人達がこぞって難民に師事を乞うたであろう事は容易に想像がつく。

　但し、会話は不通だったようで、故に難民の実名も拳法門派名も、型挙動の名称も伝わってはいない（「チントウ」のチンは陳ではないだろうか、つまり個人名が考えられる）。

　という事は挙動説明は一切なく、外形を見て覚えただけの型という事になる。しかも当時は記録手段が存在しない為、見て覚えるしかないが、難民が帰国を急いでいた事から、型を分割し、皆で手分けして覚えたそうである。その中に泊手の達人、松茂良興作（まつもらこうさく）も居たとの事であるから、1829年生まれの松茂良が40歳であったとすれば明治3年の出来事となる。

　体質も運動法も異なる中国人動作を真似て武術がマスターできると考える程に、当時の武人達は武術に対し、素人であったという事が分かる。

第1挙動　両拳大腿部付け根に位置させて「結び立ち」。

この拳位置での「立ち方」から、思い当たる中国拳法が有るが、このような単純な姿勢でさえ、沖縄空手家と中国拳法家とでは理解が異なる。

次挙動は右足を大きく後方へ引くが、その運動法を可能にする「立ち方」をしているかが要<ruby>要<rt>かなめ</rt></ruby>であり、次挙動への移動は、無拍子でスタートされるべきであるが、その為にはこの「結び立ち姿勢」のどこに意識を集中させるべきかを考える事が重要である。

中国拳法の第1挙動は「起式<ruby>起式<rt>きしき</rt></ruby>」と言い、立派に武技としての理を備えた立ち方であり、重要な挙動である。

第2挙動　右足大きく後方へ引き、目線正面（南）方向のままで西向きの「四股立ち」となり、左手首に右手刀を接触させた形で両掌を右腰へ引き付けて構えて後、両手首交叉のまま、正面方向へ「左手刀受け」を行なう。右掌は左手首に添える。

不可。両腕の往復運動を行なわねば「左手刀」を突き出す事が出来ないという解釈であるが、更に「四股立ち」という立ち方は「引く行為」も「突き出す」行為も可能であるという解釈であり、これに相撲の「突き押し」が加われば、全方位運動が可能となろう。

「理」が存在しなければ、如何なる運動法も可能である。この場面を「手刀受け」という「受け技」の発力行為と解釈した為、挙動完了の停止状態となっており、次挙動を行なうエネルギーは新

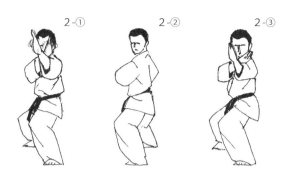

2-① 2-② 2-③

たに立ち上げね
ばならなくなっ
た。断続挙動の
開始である。
　この「型」の
目的から述べる。
「チントウ」は
「追い突き」の
要領と、その為のエネルギーの立ち上げ方を説明する「型」で
あるが、各挙動が中国拳法理念に基づいて構成されている為、
現代的な西洋式運動理論を用いた、振り被らねば投げられな
い、腕を振らねば走れない、助走を付けねば遠くへ跳べないな
どという思考法を用いての稽古はすべきではない。
　この「型」はエネルギーの立ち上げ方、挙動の外形、身体運
用法を段階的に説明しており、全ての挙動が「追い突き挙動」
に繋がるという事を認識しておくべきである。

第3挙動　前挙動「手刀受け」の両掌を、そのままの位置で手首を交叉させたまま回転させる。上向き右掌の手首を、左掌が押さえる形となる。

不可。前挙動を「手刀受け」という発力行為と
解釈した為、エネルギーが存在せず、この場面
の両掌の回転運動は単なる「カラ回り」となっ
ているが、挙動名がない、つまり目的が不明で
ある為、「カラ回り」に支障はないようである。
　次挙動は「左拳払い打ち」であるから、この
場面を次挙動の為のエネルギー立ち上げ段階と

3

捉えるべきであるが、「首里手・ショウリン流」は全ての挙動が独立した挙動であると解釈する為、次挙動との繋がりを考えず、従ってこの挙動の意味に気付く事はない。

　この場面の両掌回転運動は中国河北省滄県を発祥の地とする拳法門派「八極拳（はっきょくけん）」、もしくはその源流の「把子拳（はしけん）」の「小纏（しょうてん）」というエネルギー立ち上げ法である。懸念することは、沖縄空手の技術は中国南方、福州からの流れが強いが、「八極拳」は中国北方の武術である。

　その違いは、南方武術は比較的に社会が落ち着いた時代の武術であり、隠すに便利、携帯に便利な短武器術が原型で、その為の運動法を用いる。北方武術は中原に於ける戦闘真っ盛り時代の武術であり、「三国志」などで馴染み深いが、馬に跨り長槍を振り回す姿を想像すれば理解し易い。この異なる運動法で構築された技術を「首里手」は導入したのである。

第4挙動　両拳一気に前後に開き分け、正面（南）へ「左拳払い打ち」を行なう。右拳は右腰へ引く。

4

　不可。「払い打ち」は「払う」のであるから弧線運動、振り出し運動である。

　両足並列姿勢「四股立ち」での、横方向への振り出し運動が可能であるというのであれば、この姿勢でのバットスイング、ゴルフスイング、投球動作までもが可能であるという事になるが、ならば相撲の力士はこの「立ち方」でどういう方向への運動を行なうのか。そういう事から「四股立ち」の構造を明らかにしなければ何も始まらない。

　両足並列姿勢では腰の回転運動が行なえない為、横方向への振り出し運動は不可能である。

　この行為を無理矢理行なえば、「ナイハンチ初段・第4挙動、左肘当て」のように、後ろ足膝が内回転をし、姿勢を崩す事になるとは、知花朝信実演写真を例に説明した。

　この「立ち方」での「払い打ち」が不可能である事から、この挙動は「払い打ち」ではない事が分かる。「首里手・ショウリン流」は挙動全てを「技」としての「発力行為」と解釈する事から、挙動の度(たび)にエネルギーを立ち上げねばならず、それにより断続挙動の創出となっている事は再三述べてきた。

　この場面もそうであり、存在しない「払い打ち」という発力行為を設定し、次挙動のエネルギーを失ったが、「右引き手」までも設定し、上体開き分け行為で行なった結果、上体が反り返り姿勢となった事は「ナイハンチ」の場合と同様である。よって「ナイハンチ」同様、上体の前後への撓り行為を利用し、次挙動のエネルギーを立ち上げている。

　この「払い打ち挙動」は、この場面での「四股立ち」設定以外に、「猫足立ち」、「片足立ち」でも行なわれる事から「技」ではないと気付くべきであるが、この挙動を「払い打ち」と解釈した結果は空手家が考える程、生易(なまやさ)しい事ではなく、型全体の解釈法に重大な影響を及ぼしており、その結果「首里手・ショウリン流」は遂に「追い突き」を手に入れる事が出来なかったのである。

第5挙動　続いて「右逆突き」を行なう。左拳は左腰へ引き付
　　　　　ける。

5

不可。前挙動を発力行為と解釈した為、この場
面を行なうエネルギーが存在せず、例によって
「ナイハンチ」同様の上体捻り運動を利用して
立ち上げている。述べた通り、両足並列姿勢で
目線方向とは逆方向の腕による横方向への「逆
突き行為」は不可能であり、必ず「四股立ち姿
勢」を崩す事になる。この「立ち方」により、
棒を使ってサンドバックを突いてみれば分か
り、想像するだけで笑える。この運動法に疑問を抱けないのは
コジツケ挙動解釈法により、誤った身体運用法が刷り込まれて
いるという事であり、悲しい結果である。
　この挙動は確かに「左前屈立ち」で行なわれている。そうで
なければ次挙動の左回転運動は行なえない。

第6挙動　前の左足軸に360度左回転、再び元の西向き「四股
　　　　　立ち」となり、右方向（北）へ「右落とし受け」を行なう。
　　　　　左拳は左腰へ引き付ける。

6

不可。体中心に軸が存在する「四股立ち」での
回転運動は不可能で、空中に跳び上がって回転
するしかない。
　この挙動は「松林流」には存在せず、「八極拳」
にもない為、「小林流」の芸能意識からの設定
と考えてよく、「四股立ち」の運動法を無視し
た挙動である。

　前挙動の「右逆突き」を行なった腕での連続発力行為である
から、「右落とし受け」を行なうエネルギーは既に失われてい
る。その為、「四股立ち」の左足軸での左回転運動の最中に、
身体の回転方向とは逆方向へ右腕を振り上げ、落とすという奇
抜な「技」を設定している。

　「松林流」は後方から大きく片腕を前方回転させ、前腕と手
首を交叉させるという、型冒頭の「手刀受け」と同じ構えにな
り、それから両拳を握る。これは「公相君・第39挙動」の「両
手首交叉姿勢のまま、手刀を拳に変える」と同様の行為であり、
「公相君」に於ける第40挙動は「跳び二段蹴り」であると考え
られる。

　因みに、「小林流」の次挙動は「連続前蹴り」であるが、「松
林流」の場合は「跳び二段蹴り」であり、「八極拳」では既に
失われたが、嘗てこの場面には「換歩弾踢」という、「跳び二
段蹴り」が存在したそうである。興味深い事には「八極拳」で
は、着地と同時に「公相君・二段蹴り」同様の「裏拳打ち落と
し」行為を行なう。

　つまり、この場面には「四股立ち・右落とし受け行為」は存
在しないと考えて良い。

第7挙動 西向き「四股立ち」姿勢のまま、目線だけを正面方向（南）へ向け、両手首交叉させて西へ突き出し、再び右腰へ引き付けてより、右掌を左手首に添えての「左手刀受け」を正面方向へ行なう。

7

不可。再びの往復運動であるが、「松林流」にこの往復運動が存在しない事から、「小林流」の創作挙動と考えられる。「手刀受け」を行なうに、先ず南方へ両腕を突き出し、つぎにその両腕を右腰に引き付け、改めて両腕を南方へ「手刀受け」として突き出すという行為であるが、この往復運動には意味がない。

　「公相君」挙動から分かるとおり、この挙動は「手刀受け」ではなく、次の「蹴り技」の準備段階の「手刀構え」である。動作は全て「技」であると解釈する「小林流」故、仕方ない。

第8挙動 「手刀受け」の両掌をそのままの位置で拳に変え、体前に両手首交叉させて構えた姿勢で正面方向へ「右前蹴り」「左前蹴り」の連続蹴りを行なう。

8-①　　　　8-②

不可。「公相君」同様、「手刀」構えを拳に変え、前足への軸構築を行なっているが、「四股立ち」姿勢では意味がない事から、やはりこの場面は「公相君」同様、「前屈立ち」であったと考えられる。そして、前足に軸

を立ち上げての後ろ足による行為であるという事は、この「蹴り技」は前足の引き寄せる力で後ろ足を蹴り出している事になる。

この「前蹴り」のスタイルは蹴る度に左右の肩が入れ替わるという通常の前蹴りとは異なり、左肩を前方の一点に固定した構えのまま壁に貼りつくように移動するという、中国式ナンバ運動、「鶏行歩」を用いている。日本で言えば江戸時代、行商の魚屋が天秤棒を担いで歩く時の歩法に似る。

第9挙動　左足着地と同時に両拳を交叉させての正面方向 （南）への「下段挟み受け」。

9

不可。前挙動「左前蹴り」終了の軸足は右足である。

　軸足右足のままで、「前蹴り」終了の左足を下ろすという行為に重心移動はなく、静かに下ろせる左足となっている。手首を交叉させた両腕を突き落とす行為を行なうも、軸足は右足であるから、この行為に威力はない。つまり「技」とは言えない。

　次挙動が「四股立ち」の右足軸による右回転運動であれば、この「挟み受け」を行なった時点の軸足は右足のままである事が分かる。

　つまり、この両腕交叉行為は次挙動の右回転動作を円滑に行なう為に、上体を纏める事を目的として設定した行為である。これも「公相君・第37、38挙動」の回転運動の要領を参考にすれば分かる。この場面で「挟み受け」という、発力行為を行なった為、最早、次の右回転運動の為のエネルギーは存在しない。

109

そこで左足で床を蹴る事により、「四股立ち」の右足軸での右回転運動を行なうが、床を蹴った為、次挙動の「挟み受け」を行なうエネルギーを失った。

第10挙動　後ろの右足軸に180度の右回転運動し、東向きの「四股立ち」となり、左側（北方向）で両手首交叉の「下段挟み受け」を行なう。

不可。この挙動も右足軸での右回転運動ながら、左方向への「受け技」を行なうという強引な解釈をしている。

　前挙動でエネルギーを失っているが、この場面で「挟み受け」のエネルギーを立ち上げねばならず、右回転運動の最中に逆方向へ両腕を振り上げるという予備動作を行ない、その運動を切り返しての着地と同時の左方向への「挟み受け」行為である。

　無論、「受け技」などではなく、次挙動は「右払い打ち」である事からこの場面の構造が見える。型冒頭での「左払い打ち」直前に、両手首を交叉させたまま回転させるという「小纏」挙動が存在した。その行為がこの場面と同じである。

　「四股立ち」で回転し、エネルギーを立ち上げ、その力を次挙動の「払い打ち」に利用するという挙動である。

第11挙動　左足軸に右足引き寄せ、正面向きの「右足前猫足立ち」となり、「右払い打ち」を行なう。続いて左足踏み出し「左足前猫足立ち」での「左追い突き」を行なう。

不可。前挙動を左足軸での「下段挟み受け」と解釈した為、この場面を行なうエネルギーを失った。

11-①　　　11-②

　「四股立ち」の右足で床を蹴り左足へ重心移動。この左足を軸に右足引き寄せ「右足前猫足立ち」となりつつ「右払い打ち」を行なうが、「猫足立ち」完成直後の軸足である左足には「右払い打ち」を行なうエネルギーが存在しない為、瞬間的な上体捻り行為を行ない、その戻り運動にて「右払い打ち」を行なっている。

　この挙動の実体は、前挙動「四股立ち・挟み受け」と一つの挙動であり、「挟み受け」も「払い打ち」も存在せず、「追い突き」の為のエネルギー立ち上げ行為をコジツケ解釈した挙動に過ぎない。

　次の「追い突き」は、「挟み受け」挙動からの「両腕を掬い上げ、右腕を開いた」エネルギーの圧縮運動で行なわれるべきであり、その要領は第15、20挙動で示される。

　「払い打ち」挙動を発力行為挙動と解釈した為、「払った右腕」と「後ろの軸足」とで身体は開かれた状態となっており、これは後足重心の「居着き姿勢」である為、次の「追い突き」への移動が困難となった。

　そこで、やはり後ろ足で床を蹴り、前足である右足へ重心移

動する。これは階段上りと同様の行為であり、重心移動と共に
エネルギーは失われる為、次の一歩と「追い突き」のエネルギー
は存在しない。そこで右足に重心が移動したと同時に上体を撓
らせて腰にタメを創り、その戻り運動にて左足を一歩踏み出す
が、着地と同時に全てのエネルギーを失った為、「左足前猫足
立ち」の前足の急ブレーキ行為により急激な上体傾斜姿勢を創
り出し、その結果、左腕が前方へ伸ばされるという、見せかけ
だけの「左追い突き」である。

第12挙動　前挙動「左足前猫足立ち」姿勢から左足軸に右足
一歩、正面（南）方向へ踏み出し「四股立ち」となりつ
つ、両腕を揃え、掌上向きで、南方向、下段への「下段両
貫手（ぬきて）」を行なう。

12

不可。両手の指先で下段を突いたと解釈するこ
の挙動名には感心する。

前挙動「左足前猫足立ち・左追い突き」から
右足を一歩踏み出す行為には、左足を軸にした
左回転のトルクが働く。この運動を切り返して
「貫手」行為を行うためには両腕の引き付け行
為と、上体撓らせ行為の予備動作を必要とする。

その極端な例が「松林流・髻取り払い受け（まげ）」
である。つまり「髻取り払い受け」は「技」ではなく、棒術の
エネルギー立ち上げ行為である。

前著でも説明したが、「松林流」ではこの部分に「髻取り払
い受け」という片足立ちで両手を頭上に振り上げる挙動を設定
し、「頭髪を結んでいた時代に（中略）肉を切らせて骨を切る
の戦法を考えた。即ち掴まえられた髪を打ち外す瞬時の苦痛に

　耐え（中略）両手刀を下から上にすり上げ、掴んだ相手の胸に打撃を与えてこれをはずし、相手の脇腹に『添え手、手刀打ち』を見舞わんとする受け方である。」と説明するが、この説明文は長嶺将真のものではなく、大正時代の船越義珍の説を踏襲したに過ぎない。

　注意すべきは、この説明文の中には二つの挙動が存在するという事である。

　つまり、相手の腕を払う「髷取り払い受け」という挙動名の「受け技」と、相手の脇腹への「攻撃技」である「添え手、手刀受け」という挙動名の「攻撃技」である。

　ワザワザの挙動名設定であるから、連続発力行為と解釈している事になる。これは野球投手の振り被り動作と、投球動作の両方に挙動名を付けた事に等しく、片足立ちで「振り被って」発力、着地し「振り下ろして」発力の連続発力行為解釈なのである。

　そうなると、その連続発力行為のエネルギーは如何にして立ち上げているのかが問題となるべきであるが、沖縄空手家にとってはどうでも良いことのようで、この挙動解釈法は未だ放置状態にある。何が言いたいのかと言うと、「首里手型」の挙動名とはこの程度のものであり、自作挙動ではなく、見て覚えただけの挙動に何の根拠も無く、思いつくままに付けただけの挙動名なのである。

第13挙動　そのままの姿勢で、両掌を顔面の高さまで掬（すく）い上げ、正面（南）方向へ掌を外向きにし、左右に一気に開く。

13

不可。ここもまた発力行為と解釈し一気に開き分けており、「追い突き」挙動からの「中段突き」、「下段突き」、「開き分け行為」の三連続発力行為となっている。

「四股立ち」での横方向への行為となっているが、「松林流」は「前屈立ち・胸部諸手、手刀受け」という、またしても「発力行為」の設定である。

両流派共に、次挙動は東向き「四股立ち」での両腕開き分け行為で、これは「陳家太極拳・抱虎帰山（ほうこきざん）」と同様の運動法である為、この場面はその前段階のエネルギーの立ち上げ行為が考えられる。

第14挙動　東向き「四股立ち」となり、顔面前で両掌を内向きにし、両手首交叉させた後、再び左右に一気に開く。

14

不可。再び一気に開く発力行為扱いで、次挙動で落下させる筈のエネルギーを失っている。

前挙動から連続した挙動であるから「一気」に行なってはならず、水の入った水盤を南向きから東方向へと静かに横移動させ、次挙動で床に叩きつけて割るというイメージであるべきだ。

第15挙動　両掌を拳に変え、その場にて立ち上がりざま、両拳を一気に大腿部付け根まで落とす。

不可。この挙動こそが、この「型」の核心部分であり、エネルギーの爆発法を示すが、沖縄空手とは身体操作法があまりにも異なる為、理解する事は不可能であろう。それは「松林流」の挙動名からよく分かる。

15

　沖縄空手家は挙動の外形しか理解できない為、「松林流」はこの場面を、両拳を鼠蹊部（そけいぶ）まで落とす「金的防御（きんてき）」の「受け技」と解釈した。両拳間が拳一個程、離れているにも拘らずにである。

　この挙動は明代の武人、戚継光（せきけいこう）（1528〜1587）「紀効新書（きこうしんしょ）」に記載のある拳法門派「把子拳（はしけん）」が源流といわれる「八極拳」の「双揃擋（そうしとう）」という挙動であるが、「技」そのものではなく「頂抜勁（ちょうばつけい）」というエネルギーの発力法を示している。

第16挙動　上体は東向きのまま、目線を左（北）方向へ向け、右足を右方向（南）へ開いて「右後屈立ち」となり、「右拳外受け」を行なう。

不可。この挙動は「松林流」にはない。

16

　低い姿勢である事から棒術動作と思いきや、両腕の運動方向は逆方向である為、素手武術のものとも考えられ、伝承の正確さは不明である。

　「後屈立ち」での「外受け・下段払い」と解釈された大袈裟な挙動であるから、直接的な「技」と解釈するのは困難であり、「攻撃技」

115

であるのか「受け技」であるのかも不明である。

　「小林流」ではこの場面を行なって後、一度立ち上がり、再び腰を落とすという動作を3回連続の背面回転運動で行なうが、その回転エネルギーの創出法から考えた結果、この挙動は技そのものではなく、これから示される重要な挙動の移動法を説明しているものと思われる。

　「小林流」空手家は「後屈立ち・外受け・下段払い」を行なって後、「後屈立ち」の後ろ足で床を蹴って立ち上がる為、その度(たび)に次の「外受け・下段払い」のエネルギーを失い、その創出の為に煩雑な予備動作を設定せざるを得なくなっており、「立って」、「座って」、「閉じて」、「開いて」の行為を3連続で行なう。

　信じられまいが、中国拳法家は、ここからの挙動を一挙動で行なえる。だからこそ第19挙動の「下段受け」と解釈された発力行為が行なえるのである。

　この場面、前挙動の東向き直立姿勢から右足を南方向へ出し、これに重心移動して「右後屈立ち」となった後、「外受け・下段払い」解釈の行為を行なったが、目線方向とは逆方向への「外受け」など、あろう筈はない。

　ではこの「外受け」の実体は何かというと、移動の為のエネルギー源である。

　「外受け」の立てられた右腕前腕には、どのような力が働いているのであろうか。

　これは「ナイハンチ初段・第10挙動・右外受け」の右腕の力の方向を、身体で感じ取る事ができれば理解できる。

　そして「ナイハンチ初段」では、第11挙動の「外受け・下段払い」は「第10挙動・外受け」の解放運動で行なわれると述べた。

ここまで説明すれば、この「右後屈立ち」で立てられた「外受け」解釈の右腕の意味がわかろう。「回転エネルギーの創出」である。

第17挙動　北側の左足軸に180度背面回転し、上体は西向きとなり、目線は北方向で「左後屈立ち・左拳外受け・右拳下段払い」を行なう。

不可。相手から目線を切り、背面回転してから「受ける」という武技など存在しないが、「小林流」には背面回転による「受け技」が少なからず存在する。それらの挙動は「受け技」ではなく、棒の遠心力利用の「攻撃技」なのであろう。しかしこの場面は異なる。

17

　「受け技」という「発力行為」と捉えれば、移動法を失ってしまう。「後屈立ち」完成後に「外受け・下段払い」を行なってはならず、この行為を行なえば、必ず「外受け」行為による「居着き姿勢」が創られ、次挙動へは後ろ足で床を蹴って立ち上がらねばならなくなり、この行為により、次挙動を行なうエネルギーを失うという悪循環に陥る。

117

第18挙動　右足軸に180度背面回転し、東向きとなり、目線は
　　　　北方向での「右後屈立ち・右拳外受け・左拳下段払い」を
　　　　行なう。

18

不可。前挙動「左後屈立ち」の後ろ足で床を蹴っ
て立ち上がり、背面回転で身を沈めつつ両腕を
体前に集めて「外受け・下段払い」のエネルギー
を立ち上げ、それからの前後への開き分け行為
であるが、本来ならば「外受け」終了によりエ
ネルギーが失われるのではなく、むしろ次挙動
を行なう為のエネルギーが立ち上げられた瞬間
であるべきだ。
　このエネルギーの解放運動で次挙動「下段受
け」の発力行為は行なわれるべきだ。

第19挙動　左足軸に右足引き寄せて右膝つき、左膝は立て、
　　　　両手首交叉させて左大腿部横に「下段受け」を行なう。目
　　　　線は正面向き。

19

不可。前挙動「右後屈立ち」の軸足である右足
の解放運動で移動開始し、左足の引き寄せる力
による「突き技」である。
　空手家は必ず、前挙動から一度立ち上がり、
両腕を瞬間的に引き上げ、「技」を行なうエネル
ギーを立ち上げてから身を沈めるが、立ち上がっ
てはならない。前挙動「後屈立ち」から、移動
時の頭の高さは一定であるべきである。この挙
動は「八極拳」の「砸跪膝<ruby>そうきしつ</ruby>」という攻撃技である。

第20挙動　右足を正面方向へ一歩開き、東向き「四股立ち」となり、右拳を外側にして顔面前で両手首交叉の後、左右に開く。

20

不可。「受け技」と解釈し、力強く行なった為、次挙動で落とすべきエネルギーを失っている。

　第13、14挙動同様、「八極拳」の基本的概念を示す場面である為、力強く行なってはならず、ユックリとした動作で体背面を意識しつつ行なわれるべきである。

第21挙動　その場にて勢いよく立ち上がりざま、両拳を大腿部付け根あたりへ一気に落とす。

21

不可。八極拳「双撞撞（そうしとう）」であり、「頂抜勁（ちょうばつけい）」というエネルギーの形を示している為、外形に拘ることなく、身体内部の意識に注意すべきであるが、空手家には必要のない運動法である。

第22挙動　再び腰を落として「四股立ち」となり、両拳を腰横へ強く引き上げる。

22

不可。挙動名のない事から、技ではない事が分かる。強く引き付ける必要はなく、強く行なえば失うものがある事に注意すべきである。

　力を必要としない挙動の存在を知るべきで、この場面は次挙動への準備段階である。

第23挙動　そのままの姿勢にて拳を腰に付けたまま、右肘、左肘の順に東方へ突き出しての「肘受け」。

23-①　　　　23-②

不可。このような挙動名から、「首里手・ショウリン流」の挙動解釈法のいい加減さが分かる。

　これは「肘受け」ではない。この場面で上体を閉じ、次挙動で開く。目的は「片足立ち」挙動へのエネルギーの立ち上げであるが、空手家がこの行為を行なえば、脊椎を軸にした上半身の回転運動にしかならないが、空手とはそういう運動法を用いる武術である為、この挙動の設定に意味はない。

第24挙動　前挙動「四股立ち」の左足軸に90度右回転し、西
　　　　向き「右足前猫足立ち」となり、両拳を顔前にて手首交叉
　　　　の後、左右に開く。

不可。「受け技」と解釈し力強く行なっている
が、この場面は「片足立ち」への過渡動作であっ
て挙動ではない為、ここで停止してはならず、
「片足立ち」へと流れ続けなければらない。

24

　この場面の両拳開き分け行為が「片足立ち・
外受け・下段払い」へと繋がるが、全ては「追
い突き」を行なう為のエネルギー立ち上げ行為
であり、それまで「技」という発力行為は存在
しない。

第25挙動　前挙動「右足前猫足立ち」の前足爪先を45度南方
　　　　へ向け、これに重心移動し南向き「右片足立ち」となり、
　　　　右膝裏に左足甲部を接触させる。
　　　　　右後頭部横位置で「右拳外受け」、左大腿部前に「左拳
　　　　下段払い」を行なう。

不可。船越義珍の昔から、「首里手家」は片足
立ちでの「技」が存在すると考えている事から、
芸能的思考法で武術を捉えている事が分かる。

25

　軸足に反対側の足を絡めたこの立ち方は「八
極拳」の「金鶏独立」と言い、何故、この様な
特殊な立ち方をしなければならないのかを考え
るべきである。
　「片足立ち・外受け・下段払い」という発力

行為と解釈した為、ここまでのエネルギーを全て消失し、最早
何事も行なえない筈であり、両腕を開いた無防備の停止状態で
ある為、次挙動は何をするにしろ、軸足で床を蹴っての運動開
始となる。

**第26挙動　正面（南）向き「右片足立ち」のまま、右拳を右
　　　　腰に引き、左拳をその上に被せる。**

不可。次挙動で左腕を振り出す為に右腰に絞り
込みを創ったつもりであるが、「外受け・下段
払い」姿勢から両腕を脱力させて右腰へ引き寄
せただけの行為である為、絞り込みなど存在せ
ず、置物状態となっている。

**第27挙動　正面方向へ「左払い打ち」と「左前蹴り」を行ない、
　　　　蹴り足を前方へ大きく伸ばして着地させ、これを軸に右足
　　　　一歩踏み出し、「右足前猫足立ち・右追い突き」を行なう。**

27-①

27-②

不可。第11挙動の「左追い突き」
とは異なり、踏み出した足を軸
にし、更に踏み込むという「追
い突き」である。
　「片足立ち・左払い打ち」を
技であると解釈すれば、「払い
打ち」の左腕と軸足の右足と
で、上体を開き分ける力で行な

われる。「技」解釈により威力を必要とする為、腸骨は右足を軸に右回転をする事になった。

　腰が右回転したこの右向き姿勢では「左横蹴り」が可能なのであり、「左前蹴り」は行なえない筈であるが、それでも行なわれているという事は、腰の回転に影響が出ない程度に調整された「左払い打ち」が行なわれているか、或いは「左払い打ち」で右回転した腸骨の呼び戻し行為を行なって後の「左前蹴り」であるかのどちらかである。おそらく後者であろうが、要するに「技」としての構造を持たない「左払い打ち」と、腰を引いての腸骨呼び戻し運動の予備動作を設定しての「左前蹴り」を行なっている事になる。

　「前蹴り」の構造について。

　型冒頭の「連続前蹴り」から明らかなように、「前蹴り」とは前足への重心移動を伴っての後ろ足による行為であり、この場面の片足立ちの上げられた側の足による行為ならば、重心移動のない、例えば「左足前猫足立ち」の前足による「左前蹴り」のスタイルという事になり、この蹴り方は牽制行為とはなろうとも、「蹴り技」としての威力は持たない。

　つまり、「払い打ち」は「払い打ち」に非ず、「前蹴り」は「前蹴り」に非ずと言える。

　重心移動を伴わない「前蹴り」である為、右足軸での左足振り上げ行為となり、移動エネルギーが創り出せない為、仕方なく軸足で床を蹴り、大きく跳び出す。

　しかし、床を蹴っての行為で左足着地と同時に次動作の右足踏み出しのエネルギーを失う為、着地足の左足軸に上体を撓らせて「タメ」を創り、その戻り行為にて右足一歩踏み出すが、肝心の「右追い突き」を行なうエネルギーが存在しない。しかし、これまでの挙動検証から分かるとおり、「猫足立ち」の前

足は蹴り返しの構造を持つことから、踏み込んだ右足着地の瞬間、急ブレーキ行為を行ない、前足の蹴り返し行為により、腸骨下端を後方へ押し込む事で上体前方傾斜姿勢を創り出し、この行為により右腕が前方へ伸びるという方法をとった。

　これが、慣性運動利用による「小林流・追い突き」の構造である。

　この挙動は一打必倒の威力から「搠撼突撃（ほうかんとつげき）」と形容される八極拳の「馬歩冲捶（まほちゅうすい）」という挙動であり、「前蹴り」ではなく、大きな踏み込み動作で行なわれる「突き技」である。

　しかし、相手との距離を詰める事が目的の踏み込み動作ではなく、昔「マナッサの人殺し」と言われたアメリカのプロボクサー、ジャック・デンプシーのショベルフック同様、前足による強力な踏み付け行為と考えて良いが、その雰囲気はジャッキー・チェン主演映画、「ベスト・キッド」で分かる。

　カンフー学校で百人ほどの赤い稽古着を着た少年達が行なうのが「八極拳」であり、「前蹴り」のような「踏み付け動作」が見られる。

第28挙動　南向きのままに右足引き寄せ、後ろの左足を軸に「左片足立ち」となる。左膝裏に右足甲部を当て「左拳外受け・右拳下段払い」を行なう。

28

不可。第25挙動では「右足前猫足立ち」の前足踵を着地させ、これに重心移動し、踵を踏み締める力で「外受け」の右腕を引き上げたが、この場面は「右足前猫足立ち」で既に左足の踵は着地している事から、踏み締め動作はない。後ろ足の力で前足を引き寄せ「左片足立ち」と

なったのである。

　この両者の構造が同じであると考えるのは間違いである。この場面の「片足立ち」姿勢へは、踏み締める力は働かず、前足を引き寄せた為、背面方向へ引く力が働いており、引き続きこの運動法で「左外受け」を行なえば、更なる後方傾斜姿勢となる。

第29挙動　「左片足立ち」にて右拳を上にして両拳を左腰に重ねて後、その場での「右払い打ち」「右前蹴り」を行ない、着地後、「右足前猫足立ち・左逆突き」を行なう。

不可。前挙動の「片足立ち・外受け・下段払い」の両腕を脱力させて腰に引き付け、それからの「右払い打ち」「右前蹴り」であるが、重心移動も前進運動もない、その場行為である為、威力はなく、「技」ではない。

29-①　29-②

　移動が存在しないにも拘らずの「前蹴り」設定であるから、前挙動とは作者が異なる事が分かる。その場での「振り上げ前蹴り」で、その場に蹴り足を下ろす事が可能である為、「猫足立ち」の前足の構造を利用し、着地と同時の蹴り返し行為を設定した。

　前足の蹴り返し行為で右大腿部を後方へ押し込み、この運動で腸骨が右回転、それにより左肩が押し出されるという、骨格の連動運動による「左逆突き」の形であるから、威力など有ろう筈がない。

第30挙動　「右足前猫足立ち」の前足軸に左回転。後方（北）向きの「右片足立ち」となり、「右外受け・左下段払い」を行なう。

30

不可。前挙動「右足前猫足立ち」の前足踵を押し込んで180度左回転し、「右片足立ち」となる。前挙動の「左逆突き」が前足に重心の出ない「カラッポ突き」であった為、前足軸での回転運動が容易である。

第31挙動　「右片足立ち」のまま右腰に両拳を集め、その場にて「左払い打ち」「左前蹴り」を行なう。

31

不可。前挙動での発力行為、そして「外受け・下段払い」からの脱力行為による両腕の腰への移動により、最早、「技」を行なうエネルギーはどこにも存在しない筈が、それでも行なえるのは軸足のスクワット運動と、上体の撓り運動利用による振り上げ行為であり、武技の運動法ではない。

第32挙動　左足着地後は前進せず、その場にて「左足前猫足立ち」での「右逆突き」を行なう。

不可。前挙動にて「左逆突き」を設定した為、この場面に「右逆突き」を設定しただけの芸能意識からの設定に過ぎず、「逆突き」が可能か否かなど問題にはしない。

32

　この場面も同じく、「前蹴り」の左足着地させ、前足の蹴り返し行為により腸骨を左回転させる。その影響で突き出された右肩の移動により右腕が伸ばされただけの「右逆突き」の構造である。

第33挙動　「左足前猫足立ち・右逆突き」の左拳左腰のまま、左足軸に180度右回転し正面（南）向きの「右足前猫足立ち」となると同時に「右手刀受け」を行ない、次に「左肘当て」を行なう。

不可。この「手刀受け」の形は次の型、「公相君」の「添え手」を設定した「手刀受け」の形とは異なり、前挙動から左腕に動きがない為、右腕だけによる振り出し行為で、「添え手」設定の棒術動作でもなく、「引き手」利用の素手術動作でもない。

33-① 　 33-②

　つまり「技」そのものではないと考える。「左肘当て」を行なう為の準備段階なのであろう。「手刀受け」で開いて「タメ」を創り、それを閉ざす力による「肘当て」と考えられ、つまり、

「ナイハンチ初段・第3挙動・裏手刀受け」と「第4挙動・肘当て」と同様の関係であり、この場面は、「ショウリン流」的に細切れ解釈を行なったのであろう。

第34挙動　そのままの姿勢にて、左腰の拳を「手刀」に変え、右拳を甲下向きにし、左腰に強く引き付ける。「左手刀」の指先に右拳の小指側を接触させる。

34

不可。このような挙動までも「技」として扱い、力強く行なっているが、芝居臭い挙動である事から、技ではなく次挙動の180度右回転運動と一つの挙動と考える。

第35挙動　「右足前猫足立ち」の前足を軸に180度右回転。後方（北）向きの「右片足立ち」となり、右拳の甲側を外に向け、顔を覆うように両腕を垂直に立て、左掌は右拳甲部を覆うように添える。

35

不可。前挙動から一つの流れと考えられ、ここで停止し、次挙動で金的位置まで落とし「技」として解釈しているが、「片足立ち」で行なう「技」など武術には存在しない。金的位置までの移動行為はユックリ行なわれ、「片足立ち」の目的となる「追い突き」の為のエネルギーを立ち上げた筈だ。

　前挙動「肘当て」終了からの両腕の運動法は、バーベルやダンベルを引き上げるような運動法で顔前へと移動させているが、これは間違いと考える。「追い突き」を行なう為には恐らく両腕の回転方向は前方回転であった筈だ。「肘当て」終了後の両腕は水泳のクロールか、バタフライの腕のように、遠くのものを手前に掻き寄せるような、前方回転で行なわれた筈である。

　そうでなければ「追い突き」のエネルギーを立ち上げる事が出来ない。

第36挙動　「右片足立ち」のまま、両手そのままの形で、顔前から金的位置まで一気に落とす。右拳の甲を左掌が押さえた形となる。

不可。ここも前挙動からの流れの中にあり、この回転運動は次挙動の両拳右腰挙動まで続くものと考える。既存の解釈法から何も生まれないのであれば、検討の余地があろう。

36

129

第37挙動　北向き「右片足立ち」のまま、両拳重ね右腰へ位
　　　　置させる。

不可。第34挙動からの両腕の回転運動はこ
の場面まで続き、右腰への絞り込みを創る
事が目的であったろう。次の「追い突き」
はこの絞り込んだエネルギーの解放運動で
行なわれるものと考える。

第38挙動　北方へ「左払い打ち」と「左前蹴り」を行ない、
　　　　着地後、左足大きく踏み出し、「右足前猫足立ち・右追い
　　　　突き」を行なう。

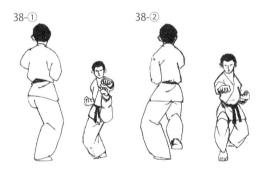

不可。要らざる発力
行為を設定し、折
角、右腰に創ったエ
ネルギーを失い、
「追い突き」への踏
み出し行為は床を蹴
らざるを得なくなっ
たが、その行為によ

り「追い突き」を行なうエネルギーを失い、例によっての急ブ
レーキ行為により上体前傾姿勢を創り出し、その勢いで右腕を
突き伸ばすという、お粗末な「突き技」となっている。

第39挙動 「右足前猫足立ち」の右足軸に180度左回転。正面
　　　　（南）向きの「閉足立ち」となり、両拳鼠蹊部に位置させ
　　　　て終了。

39

▲結論

　中国北派拳法の運動法で創られており、沖縄空手家とは異な
る運動法を用いる為、この「型」を学ぶべきではないと考える。
余談であるが、この型の原型である「八極拳」について述べる。
六合大槍と呼ばれる長槍の技術であり、河北省の北派武術であ
る為、「四股立ち」に似た「騎馬歩」で行なわれる。故に「ナ
イハンチ」の運動法に近い。

　この拳法にも様々な流派、会派が存在するが、既述の如く、
映画「ベスト・キッド」にその練習風景が見られた。

　それを見れば、この型の挙動をイメージできると思うが、そ
の映画にて赤い稽古着の少年達が練習する広場の奥の建物で、
黒い稽古着の少年達が練習していたが、両腕を高速回転させる
特徴的な拳法で「劈架掌」という。その拳法の存在により、赤
い稽古着の少年達の拳法が「八極拳」であることが分かるのだ。

　両拳法はそれぞれ独立した門派ではあるが、互いの弱点を補い合
う事を目的として併修される事が多い。因みに「劈架掌」は沖縄県
では、うるま市（旧具志川市）にて、古謝雅人師範が指導されている。

小林流・公相君（大）

　現代の「小林流・公相君（大）」は、1756年の『大島筆記』に記載のある「公相君」とは関係がない。

　本稿で扱う「公相君」は現代スポーツ運動法を用いて創られており、「猫足立ち」という素手武術の立ち方で棒術動作を行なうという挙動で構成されている。更に、部分的に「パッサイ」、「チントウ」挙動が用いられている事から、寄せ集めの型である事が分かる。

　「松林流・公相君」は日本本土の「松濤館空手」同様、北谷^{ちゃたん}屋良利導^{やらりどう}（？～1812）が創った「北谷屋良のクーサンクー」を用い、「小林流」の場合は知花朝章（1839～1919）作の「知花のクーサンクー」を用いるが、この型は首里武士の棒術意識の強い型となっている。

132

第1挙動　南向き外八字立ち。両掌、帯の結び目で甲外向きにし、左掌を外側にして組み、僅かに前方傾斜した姿勢のまま上体を起こしつつ、帯結び目位置の両掌を顔前から額前まで上げていく。上体直立姿勢で両掌を左右に開き分け、両肩横位置にて掌側を正面方向に向けて停止。

　更に下降させ、再び帯結び目位置にて左掌を右手刀で切る形で停止する。

不可。空手道世界大会などで良く見かける場面であるが、中国拳法理念で創られた挙動である為、空手家には外形しか捉えら

1-①　1-②　1-③

れず、結果、ラジオ体操的な運動法で行なわれている。

　その解釈法も、例えば米国在空手組織「無想会」代表、新垣清氏はこの場面について、その著書で「沖縄に残るクーサンクーなどと呼ばれる古伝の形は、完全に胸を張り前傾する。」「スキーのジャンプ選手が空中で重力に逆らって必死に背中を真っ直ぐにして、胸を張る状態と全く同じ姿勢になる。」と述べる。

「胸を張ってはならない」。これが武術の基本である。胸を張った姿勢とは「居着き状態」であり、身体内部にエネルギーを持たない、置物状態の事であり、次挙動へのエネルギーを持てない姿勢である。西洋式運動概念から抜け出せない者の思考法がこれであるが、胸を張るのは、西洋の軍事教練に於いて、人体を物体として捉え、多くの人間がひと塊の物体として移動する

行進に都合のよい姿勢であり、人体のロボット化なのである。

　全国を講演して巡る空手指導者の思考法がこれでは、空手界の先が思いやられる。

　この運動法を用いては、次挙動「手刀受け」を行なうには、必ず「予備動作」を必要とする。

　この挙動と「パッサイ・第28挙動」の両手を額前に翳（かざ）し、「結び立ち」で片足踵を上げ、次挙動で跳び出し、両拳で挟み打つ挙動は、同系の挙動である。

第2挙動　両足並列の「外八字立ち」の右足軸に90度左回転、左（東）向きとなり「左足前猫足立ち」による「左手刀受け」を行なう。右掌は左肘横に添える。

2

　不可。挙動名から、この挙動は「受け技」である。相手の攻撃を支え受けたのであるが、どちら側の足で支えているかと言えば、後ろの右足である。問題は前挙動からの右足軸での左回転運動は、右膝を内側に回転させての行為である筈が、「猫足立ち」の後ろ足は外に張り出すような外旋回転運動をしていなければ、前方からの圧力に耐える事はできない。

　その為、この場面は右膝を絞り込むような内旋回転運動による身体の左回転運動ではなく、右膝を張り出しながら上体を反らせる、つまり、振り被り動作の予備動作を行なってからの「左手刀受け」の形にしかならず、早速の駄作挙動設定となっている。さらに「左手刀」の左肘横に右掌を添えており、これは両腕同時同方向運動である事から、棒術動作のアレンジ挙動である事が分かる。しかし、「添え手」行為を設定するのであれば、

134

「前屈立ち」のように前足への重心移動がなければ意味はない。

「松林流」挙動はこれとは全く異なる挙動で、前挙動「外八字立ち」姿勢から正面向き「右横屈立ち」となっての正面方向への「左手刀受け」を行なう。「小林流」とは運動方向までが異なる為、運動法が同じである筈がない。つまり正面向き「外八字立ち」とは、横向きの「猫足立ち」、正面向き「横屈立ち」のどちらへの移行を可能にする立ち方なのか糺すべきであるに、それを怠った為、「首里手・ショウリン流」はこの型の正しい運動法を見誤った。

　「小林流・手刀受け」は振り出し運動、「松林流・手刀受け」は「上体開き分け運動」で行なわれており、そのどちらが「公相君」の基本的な運動法なのか不明である。

第3挙動　前足の左足軸に180度右回転し、西向きの「右足前猫足立ち」となり、「右手刀受け」を行なう。左掌を右肘横に添える。

不可。「首里手・ショウリン流」の典型的な運動法で行なわれており、下半身は素手武術の「猫足立ち」、上半身は両腕同時同方向運動の棒術動作であり、前挙動の前足である左足軸での、右背面回転運動による遠心力利用の振り回し運動で行なわれている為、素手武術の運動法である脊椎を軸にした腰の回転運動により、体中心から突き出された両腕ではない。

3

第4挙動　後ろ足の左足軸に、両拳揃えて右腰へ掬い上げるような引き上げ行為を行ないつつ、正面（南）向きの四股立ちとなり、それから「外八字立ち」へと立ち上がる。

4

不可。両拳を重ねて右腰に位置させる事から、ここからの挙動が棒術動作である事が分かるが、「四股立ち」から立ち上がるという運動法を理解していない。

「四股立ち」からの立ち上がり行為が足指の力を用いて行なわれるのではなく、踵の力による行為である事は誰でも簡単に試せる。

前述した「無想会」新垣清氏説の危険性はこれであり、踵で立ち上がれば胸を張った反り返り姿勢を創り出す。いつまでも停止姿勢を続けたいのであればこれで構わぬが、次挙動で前方へ何事かを行なう予定であれば、この行為は避けるべきだが、棒術動作の振り回し行為の準備段階である事から、構わないのであろう。

「両足並列姿勢」の危険性にも気付けないでいるが、理屈ではなく身体はよく知っている筈である。それが駅のホームで牛乳を飲むサラリーマンの、腰に片方の手を当てた姿である。

牛乳を飲む為に顎を上げる際、後方転倒の恐怖から、無意識に手を当てる事で腰位置を確認しているが、両足を前後に開けば、このような行為は行なわない。武術家たる空手家が、この程度の理屈を知らないのであれば、「手（ティ）」なるものの正体は想像がつく。

第5挙動 「外八字立ち」で正面方向へ「左拳払い打ち」、続いて「右拳中段突き」を行なう。

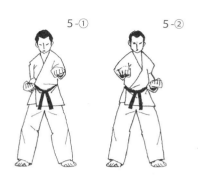

5-① 5-②

不可。「外八字立ち」は足指の力が使えない為、踵の力で左腕を振り出す事になる。僅かに背中を壁に接触させた「外八字立ち」で立ち、この状態で腕を振り出してみれば、壁に接触した背中の感覚の変化に気付ける筈だ。後方傾斜姿勢の創出である。

　この姿勢で右拳を突き出せば、更なる後方傾斜姿勢となり、拳が目標物に当たればとてもその衝撃に耐えらるものではない……という事さえ知らないのが「小林流空手家」である。

　しかも両足並列姿勢で腰に「引き手」を設定している事から、「引き手」の意味さえ知らない事が分かる。

　腰を捻じれない姿勢で立っているのであれば、「引き手」を設定する意味はない。

　「松林流・北谷屋良のクーサンクー」では、この場面を「横屈立ち」による正面方向への行為を行なっており、これは正しい運動法である。

第6挙動　そのままの位置にて左足を左（東）方向へ一歩開き「左横屈立ち」となり、正面（南）方向へ下から大きく「右拳中段外受け」を行なう。

6

不可。ここからは両流派共に棒術動作の連続となる。注目すべきは左腰の左拳であり、動きが全くない。つまり、上体開き分け行為は行なわれていないという事であり、ならばこの左拳は何故、左腰に位置しているのかと言えば、支点である。棒を右手で握り、左手を支点にして右方向へと受けた挙動なのである。

　　　前挙動からの移動法からもそれは分かる。

　前挙動「外八字立ち・右中段突き」は左拳を左腰に引く事から、軸足は左足との判断である事が分かる。

　そしてこの場面へは軸足である左足を移動させ「左横屈立ち」となった。これは軸足を移動させる武器術の運動法である。

　反対側の右足で床を蹴れば「振り被り動作」という予備動作を行なう事になる為、武器術では後ろ足で床を蹴ることはなく、前足膝の「抜き」で移動する。それがこの場面であるが、ここからが重要である。武器術ならば武器が仕事をする故、この移動法で構わないが、素手武術は「威力」という武器を創り出さねばならない為、後ろ足で床を蹴り、勢いをつけねばならない。

　従って、この挙動が素手武術であったならば、前挙動「外八字立ち」の右足で床を蹴り、身体を左方向へ傾斜させた筈であり、その勢いでの「外受け」となった筈だ。それができない為、「下から大きく」の挙動説明文に見られるように、大きな予備動作設定による威力創出行為を必要としたのである。

「首里手・ショウリン流」の挙動が全て大袈裟な動作で創られている理由は、以上の如く、素手武術を棒術動作で行なった事が原因であり、素手武術運動法と武器術運動法とを混同して解釈し、主武器が棒であった琉球戦国時代に、空手の源流である素手武術が既に存在したと語り、「『手（ティ）』を知らずして空手を語るなかれ」などと豪語する空手指導者が存在する事もその一因である。

第7挙動 「外八字立ち」に立ち上がりつつ、体を伸ばして正面（南）方向へ「左拳中段突き」を行なう。

不可。「パッサイ」からの転用挙動である。

7

前挙動「左横屈立ち」から立ち上がるには軸足である左足で床を蹴るしかない。

「砲丸投げ」や「やり投げ」から分かるように、この運動法から生まれるエネルギーの方向は右方向である。しかるに正面方向への「突き技」を設定している。しかも、立ち上がりながらの行為である。前挙動「左横屈立ち」の軸足で横方向へ床を蹴って立ち上がりつつ、正面方向への「突き技」が、両足並列姿勢で行なえる……驚くべき身体能力である。

この高度な運動法の実体も棒術動作である。「左横屈立ち」の左足で床を蹴った訳ではなく、右足の力で身体を引き上げたのであり、その際に右手を支点にして、棒を横振りに振り出したのである。そのエネルギー源は前挙動の「外受け」終了の立てられた右腕であり、「外受け」終了後、右腕を下ろす、或いは押さえ込む力で左腕は振り出されている。

第8挙動　そのままの位置にて右足を右（西）方向へ一歩開き、「右横屈立ち」となり、正面（南）方向へ、下から大きく「左中段外受け」を行なう。

8

不可。同じく「パッサイ」からの転用挙動による棒術動作挙動であり、芸能意識からの左右対称挙動の設定である。

　素手術ならば、「受ける」腕と腰の拳による開き分け行為が存在した筈で、「開き分ける」為には、必ず両腕を体中心に集める行為が存在した筈だ。野球投手の場合も、地面を蹴って膝を上げ、両腕を集めてからの上体開き分け行為を行なっている筈である。

第9挙動　左足軸に右足引き寄せ、後方（北）へ「右裏拳払い打ち」と「右横蹴り」を同時に行なう。

9

不可。素手武術ではあるが、「松林流」では「前蹴り」で処理している。「横蹴り」は近代の技術で、日本人より身体の硬い、琉球人による腰高以上の「横蹴り」設定は怪しい。

　軸足に前足を引き寄せてから「横蹴り」を行なう者はいない。相手から遠ざかる行為となるからである。前足へ後ろ足を詰め寄せ、強く踏み締める事により、前足を「横蹴り」の形で蹴り出すものである。素手武術に関する素人の作と考えられる。

第10挙動　蹴り足着地後、正面（南）方向へ「左足前猫足立ち」 となり、「左手刀受け」。右手は左肘横に添える。

10

不可。「添え手」設定による両腕同時同方向運動での棒術動作を、「猫足立ち」という素手武術の「立ち方」で行なう挙動である。

　「パッサイ・押さえ受け・裏拳突き」挙動は、このような運動法を示している訳ではない。

　挙動の構造自体を捉え損ねているが、先ずは前挙動「右横蹴り」終了からの着地法である。

　「横蹴り」終了、右足着地し、これに重心移動し、軸足として左回転で南向きとなりつつ、左足引き寄せ「左足前猫足立ち」となっての「左手刀受け」であるから、着地足の右足には左足を引き寄せるだけの力が存在しなければならず、よって、力強い踏みつけ動作による着地足とならねばならない。しかし、「左手刀受け」を行なう為のエネルギーが存在しない事から、左足を引き寄せつつ、上体を撓らせる事で腰にタメを創り出し、その戻り運動で「左手刀」を打ち出している。これは上体の撓り運動だけを利用した行為であり、武術の根本たる下半身の使用のない「お寺の鐘突き運動」に過ぎない。

　挙動終了の瞬間は前方ではなく、後方へ引かれる力が働いているが、「猫足立ち」の構造上、仕方のない事である。

第11挙動　「左足前猫足立ち」から右足進め、「右足前猫足立ち・右手刀受け」を行ない、更に左足進め、「左足前猫足立ち・左手刀受け」を行なう。「受け手」の肘横に反対側の腕の掌を添える。

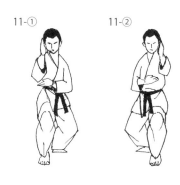

11-①　　11-②

不可。「パッサイ・第18挙動・手刀下段払い」をアレンジした棒術動作である。

　素手武術である「猫足立ち」の移動法が「パッサイ」で学ばれていないだけではなく、「技」を行なう為のエネルギー立ち上げ法も理解されていない為、この場面の移動は苦しく、後ろ足に重心が偏る（かたよる）「猫足立ち」である為、どうしても後ろ足で床を蹴る事による移動を行なうが、この行為により次の「技」を行なうエネルギーを失う為、移動の最中にそれを立ち上げる予備動作を設定せねばならなくなっており、上体反らし行為による頭部の前後運動が目に付き、気配を感じさせない行為という武術理念からは程遠い。

第12挙動　「左足前猫足立ち」の前足軸に立ち上がりつつ、右足の爪先で半円を描く事で前進し、「右足前外八字立ち」となり、正面（南）へ「右貫手（ぬきて）」を行なう。左拳は左腰へ「引き手」をとる。

不可。「パッサイ」からの転用挙動である。

　半円を描く行為の意味も分からないままに「剛柔流・サンチン」の移動法を真似たが、「サンチン立ち」は素手武術の特徴

から両足並列姿勢の「外八字立ち」に近い腰高姿勢であり、相手に対し、やや正対して構える。

12

これに対し、「猫足立ち」は素手武術の立ち方ながら、武器術のように正面方向に対し斜（はす）に構える。原型は短武器術なのであろう。

「半円描き行為」についてであるが、「剛柔流」では「サンチン立ち」の構えから、半円を描いてやはり「サンチン立ち」となるのであるから、

「半円描き行為」の前と後で「立ち方」に変化がある訳ではない。

しかるに「小林流」のこの場面は、正面方向に対し斜（はす）に構えた「猫足立ち」姿勢の後ろ足で半円を描いて、両足並列姿勢の「外八字立ち」へと立ち上がる。

正面向き姿勢の「サンチン立ち」から半円を描いて同じく正面向き姿勢の「サンチン立ち」になるという行為と、正面方向に対し斜に構えた「猫足立ち」姿勢の後ろ足で半円を描いて立ち上がり、正面向き「外八字立ち」姿勢となる行為が同様なのであろうか。

次にエネルギー構築法を考える。

前挙動「左足前猫足立ち」は右腰に絞り込みを創った構えである為、その解放運動により右腰からのパンチが可能であれば、

その「左足前猫足立ち」の後ろ足である右足を半円を描きつつ前方へ踏み出す行為とは、右腰の絞り込みの解放運動となる筈だ。これにより次の「右貫手」を行なうエネルギーを失った為、行為の直前、右腕を引き付けるという予備動作を行なってからの「貫手」の形となっている。

この挙動の存在により、「小林流」の型創作概念が「模倣（もほう）」である事が分かり、「横蹴り」挙動も同様と思われる。

第13挙動　前の右足軸に180度左回転、左足引き寄せて後方（北）向きの右足軸「交叉立ち」となり、軸足指の前に左足を爪先立ちで添え、「右手刀中段払い」を行なう。左掌を額前に翳す。

13

不可。棒術動作である。

　前挙動の「右足前外八字立ち」の前足軸に180度左回転したいが、「貫手」行為により右腕が突き出され、上体が閉じた状態にある為、回転エネルギーが存在しない。そこで両腕を左右に開く予備動作を設定し、それを閉じる勢いでの「手刀中段払い」を行ないつつ、右腕を振り出す勢いを利用して左回転する。

　右足軸に左背面回転しつつ、左足を引き寄せ「交叉立ち」という両足が近接した立ち方で、後ろ足での行為を行なった為、右腕の振り出し運動には軸足へと引かれる向心力が働いており、「払い打ち」のエネルギーは前方へは出ない。

　「松林流」は「交叉立ち」の前足へ重心移動しつつの「手刀払い」である。

第14挙動　前の左足指軸に左足踵を左回転させてから着地させ、「右前蹴り」を行なう。

不可。前挙動「交叉立ち」の前足踵が軸足の指と近接している為、「右前蹴り」の邪魔となるのか、それとも予備動作設定が目的か、前足踵を左回転させて除去した後、これに重心移動しての、後ろ足による「右前蹴り」である。

144

前足に重心移動した瞬間、腰が引かれ、やや前屈姿勢となっている事から、これが「前蹴り」の予備動作なのかも知れない。サッカーボールを蹴る際と同様の行為であり、左足一歩踏み込み、右蹴り足を後方へ振り上げ振り被り運動を行なう事と同様の行為である。

14

　右足による「前蹴り」の設定であれば前挙動からの回転運動時、左足を引き寄せての右足軸「交叉立ち」となるのではなく、「松林流」同様、前足である左足へ重心移動しつつの回転運動を行なえば、容易に後ろ足による「右前蹴り」へと移行できたのである。

　何故このような直立姿勢の伸び上がり行為での、背後の壁に貼りつくような振り出し運動を創り出したのであろうか。

　「前蹴り」の形は、後ろ足重心の「交叉立ち」という、両足が近接した立ち方から後ろ足を蹴り出した為、振り上げ運動にしかならない。

　しかも、何故か、前挙動「手刀払い」の両腕を額前に翳し続けての「前蹴り」である為、身体の重心が高所に存在しており、反り返り姿勢による尚更の振り上げ行為となっている。

　次挙動が「後屈立ち」である為、この場面の蹴り足は遠くに着地させねばならないが、振り上げ前蹴りを行なった為、距離が稼げず、軸足で床を蹴る事でそれを補うという行為が存在する。両腕を額前に翳し続ける理由は、次挙動で棒を構える為である。

第15挙動　蹴り足大きく前方（北）へ着地させて後、振り返り、目線南方向へ向け、「右後屈立ち」による「右中段外受け」「左拳下段払い」を行なう。

15

　　　不可。前挙動の後ろ足で床を蹴り移動した為、右足着地と同時に「外受け・下段払い」を行なうエネルギーは失われているが、明らかな棒術挙動であり、次挙動が発力行為なのであろう。着地し、振り返る勢いを利用しての「受け技」と考えられる。

第16挙動　そのままの姿勢にて右拳下、左拳上で腹前に力強く手首を交叉させ、「下段挟み受け」を行なう。

16

　不可。「小林流」の挙動名など当てになるものではない。「後屈立ち」という低い姿勢で更に低い位置での「受け技」など、どの方向からの攻撃を想定しているのか。棒を逆回転させ相手の股間へ跳ね上げる、「掬い上げ打ち」なのであろう。

　「松林流」は「後屈立ち」の伸ばされた左足を引き寄せ「蹲踞姿勢」となり、両手首を胸前で交叉させ、これを開き分けるエネルギーを次挙動への立ち上がり行為に利用している。

146

第17挙動　右足軸に立ち上がり、正面（南）方向へ「左足前 猫足立ち」となりつつ、「左払い打ち」を行なう。

不可。「松林流」から説明する。この立ち上が
り方は有効であるが、蹲踞姿勢で一時停止状態
となる事が頂けない。しかも蹲踞姿勢では後ろ
足踵が浮き上がっており、これは尻を下ろして
休んでいるという事で脱力状態である事から、
立ち上がり方を学ぶ事ができない。

　必ず「ドッ」の掛け声で足指へ重心移動し、
それから「コイショ」という、二挙動で立ち上
がっている筈であるが、胸前での両腕交叉構えの開き分け行為
を、立ち上がるエネルギーと「払い打ち」を行なうエネルギー
に利用しているのは正解である。

　「小林流」の場合は前挙動が「右後屈立ち」の後ろ足重心に
よる発力行為解釈である為、立ち上がるエネルギーは存在しな
い筈である。

　後ろ足の引き寄せる力により前足を引き寄せ「左足前猫足立
ち」となりつつ立ち上がり「左払い打ち」を行なうが、イチで
「立ち上がり」、ニッで「引き付け」、サンで「振り出す」とい
う三挙動での行為である。

第18挙動　右足軸に左足引き寄せ、正面（南）向き「交叉立ち」
　　　　となり、「右手刀中段払い」。

18

不可。北方への行為に引き続き南方への同じ挙
動であるから、芸能意識での設定である。
　前挙動「左払い打ち」の左足引き寄せ、両腕
を左右に開き、それを閉じる勢いでの「手刀払
い」であるから、両腕開き行為が予備動作の「開
いて」「閉じて」行為で背面方向への力が働い
ており、力は前方へは出ない。「松林流」が前
足への重心移動を行ないつつの行為である事と
比較すれば対照的である。

第19挙動　「右前蹴り」を行なう。

19

不可。「交叉立ち」の軸足である筈の後ろ足で
「前蹴り」を行なうという不思議な挙動である
が、設定理由は不明である。
　両腕を顔前に位置させれば重心が上がる事く
らいは知っておくべきであり、この姿勢で足を上
げれば、反り返り姿勢での振り上げ運動となる
のは当然の事である。

第20挙動　蹴り足前方（南）へ着地後、振り返り「右後屈立ち」
　　　　となり、北方へ「右中段外受け・左下段払い」を行なう。

不可。同じ挙動の繰り返し運動が続く。
　「蹴って」「着地」して後、振り返っての「外受け・下段払い」

の両腕開き分け行為を行なう為、その直前に
体前に両腕を集めるという予備動作を設定し
ている事から、本来この場面は発力行為では
なく、次挙動へのエネルギー立ち上げ場面で
あったと考える。

20

**第21挙動　そのままの姿勢で右拳を左拳の下に交叉させ「下
段挟み受け」。次に右足軸に左足引き寄せ立ち上がり、北
方向き「左足前猫足立ち」での「左払い打ち」を行なう。**

不可。前挙動を「外
受け・下段払い」
の発力行為と解釈
した為、この場面
を行なうエネル
ギーが存在せず、
「外受け・下段払
い」の姿勢を瞬間

21-①　　　21-②

的に浮き上がらせる予備動作を行ない、その落下運動にて「下
段挟み受け」を行なうことから、やはり「外受け・下段払い」
は直接的な「技」ではなく、この場面への「振り被り動作」「準
備体勢」と考えられる。

　次の「左払い打ち」も「左足前猫足立ち」を改め「左前屈立
ち」とし、前足へ重心移動しつつの「左払い打ち」としなけれ
ば、とても武技としての使用に耐えられるものではない。

第22挙動　前足の左足を引き寄せ北向き「結び立ち」となる。
　　　　目線は左（西）。両拳重ね右腰へ。

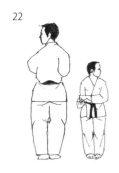

22

不可。やたら前足を引いて挙動体勢を創る
場面の多い型であるが、前足を引けばどう
いう事が起きるかを理解していないようで
ある。
　「結び立ち」での停止姿勢であるから、
型の流れはここで切れ、新たな場面のス
タートとなる為、そのエネルギーの立ち上
げ方が問題となろう。両拳同一腰であるか
ら棒術動作である。

第23挙動　「結び立ち」姿勢のまま、右足軸に「左払い打ち」
　　　　を行ないつつ90度左回転し、西向きで「左前蹴り」を行
　　　　ない、蹴り足着地後「左足前猫足立ち」となり、「左払い
　　　　打ち」完了姿勢のままで寄り進み「右肘当て」を行なう。

23-①　　　　　　　　　　23-②　　　　　　　　　　23-③

不可。駄作挙動である。
　前挙動は停止状態の「結び立ち」であるから、新たにこの場

150

面の回転エネルギーを創り出さねばならず、その為に左腕を振り出したのであろう。

　左回転での左方向への腕の振り出し運動であるから、「溜め」の行為も「開き分け」行為もできない事から、「技」であろう筈がない。

　つまり「左払い打ち」は威力を必要とする「技」ではないと思われる事から、挙動名を付けるべきではないと考える。

　腕を振り出して西向きとなり「左前蹴り」を行なうが、「結び立ち」のままでの「前蹴り」は重心移動が存在しない為、「振り上げ行為」にしかならず、「前蹴り」足り得ない。

　重心移動が存在しない為、「前蹴り」を行なおうとも直立姿勢のままで前方へ出る事ができない為、ムリヤリ軸足で床を蹴り前進運動を行なうが、興味深い事には「チントウ・追い突き」のように、蹴り足を利用して踏み出すのではなく、蹴り足をその場に下ろし、「左足前猫足立ち」姿勢のままで前進する。

　これはどういう挙動なのかというと、「結び立ち」から棒を左方向へ突き出し、その構えのままに前進したという事なのであろう。

　そして移動後に棒の「横打ち」を行なっているのである。この挙動により「ナイハンチ初段・第4挙動・肘当て」の実体が掴めるのではないだろうか。

　その棒術挙動を素手術化し、「前蹴り」終了後、軸足で床を蹴り前進した為、そのエネルギーは移動行為のみに費やされ、「肘当て」を行なう事ができない。そこで移動終了後の「左足前猫足立ち」姿勢で上体を撓らせ、その戻り行為を利用しての「肘当て」であり、何とも無惨な挙動となっている。

第24挙動　目線を東方向へ向けつつ右足引き寄せ、北向きの
　　　　「結び立ち」となる。両拳左腰。
　　　　　「結び立ち」のまま、左足軸に90度右回転し東向きとな
　　　　りつつ、「右払い打ち」を行ない、次に「右前蹴り」を行なっ
　　　　て後、「右足前猫足立ち」構えのまま寄り進み、「左肘当て」
　　　　を行なう。

24-①　　　　　　24-②　　　　　　24-③　　　　　　24-④

不可。駄作挙動の繰り返しである。

　前挙動、西向き「左足前猫足立ち・右肘当て」終了後、爪先
立ちの左足踵下ろし、これに重心移動し右足を引き寄せ「結び
立ち」となる。

　両拳左腰に引き付け、左足軸に右足を引き寄せれば、軸足に
は左回転のトルクが働く筈であるが、これを無視し右回転す
る。「結び立ち」のままでの「右払い打ち」設定である為、威
力が存在しない事から、「技」そのものではない事が分かる。

　「払い打ち」は「結び立ち」での「定位置行為」である為、「前
蹴り」も定位置のままでの「振り上げ」行為となる。振り上げ
た足はその場に下ろすしかなく、「前蹴り」終了後も定位置の「左
足前猫足立ち」にしかなれない。次の移動は「構えのままに寄
り進み」である為、後ろ足で床を蹴って前進するしかないが、

これは棒術構えのままでの移動の形である。

　床を蹴っての前進運動である為、次の「技」を行なうエネルギーは移動の段階で失われる事から、移動終了後、「左足前猫足立ち」構えで上体を撓らせ、その戻り運動にて「左肘当て」という棒の「横打ち」を行なう挙動である。

　余談ながら、沖縄では棒術の「棒」を「棍」、（例えば「津堅<ruby>砂掛けの棍<rt>つけん</rt></ruby>」）と呼んだりする。中国武術的にはこれは正しい呼び方である。棒とは撓る材質で作られたものを指し、沖縄の「棒」のように固い材質の場合は「棍」と呼ぶ。

第25挙動　前の右足軸に180度左回転し、西向きの「左足前猫足立ち」となり「左手刀受け」、次に左足軸に右足を北西方向へ進め「右足前猫足立ち」となり「右手刀受け」、更に後ろの左足軸に右回転し、東向き「右足前猫足立ち」となり「右手刀受け」、そして前の右足軸に北東方向へ左足踏み出し「左足前猫足立ち」となり「左手刀受け」を行なう。

25-①　　　　　25-②　　　　　25-③　　　　　25-④

不可。要するに「猫足立ち・手刀受け」を、西、北西、東、北東と放射状に行なうという挙動であるが、そもそも「猫足立ち」は前足「爪先立ち」で後ろ足に重心が<ruby>偏<rt>かたよ</rt></ruby>る為、前足への重心移

動ができず、両腕を前方へ移動させたとてこれを支える足が存
在しない事から、片腕行為を設定し、反対側の腕を引き手とし
て軸足へ引き付ける事で、後ろ足だけの力による運動法を用い
るしかない。しかし、移動法が厄介である。重心が後ろ足に偏
る事から、後ろ足意識が強くなり、後ろ足で床を蹴っての移動
を行なっているが、この行為を行なえば次挙動を行なうエネル
ギーを失う為、移動の最中に予備動作を設定してからの行為と
なる。

　両腕を前方へ突き出すのであれば、それを支える足の必要か
ら、前足重心の「前屈立ち」とすべきであり、移動の際も「前
屈立ち」とすべきであるが、国体などの競技空手の「組手部門」
で行なわれる後ろ足で床を蹴っての移動ではなく、武術的移動
法ならば、フェンシングのように、前足膝の「抜き」で動くべ
きである。

　この場面の「手刀受け」は「移動」、「振り被り」、「受ける」
の「３挙動受け技」を、断続的に４回行なっているに過ぎない。

**第26挙動　後ろの右足軸に左足引き寄せ、後方（北）向き左
　　　足前「交叉立ち」となりつつ「右手刀払い」を行ない、次
　　　に「右足前蹴り」を行なう。**

　　前進し「右足前交叉立ち」となりつつ「右裏拳顔面打ち」
　　を行なう。左拳は左腰へ引き付ける。

26-① 26-② 26-③

不可。やはり前足を引き寄せる挙動を設定したが、この手法に
どういう意味があるのであろうか。
　前挙動「左足前猫足立ち・左手刀受け」の左足を引き寄せ、
これを前足としての「交叉立ち」となりつつ「右手刀払い」を
行なったが、前足引き寄せつつの行為である為、軸足には引く
力が働いており、前方へ「技」を送り出す力は存在しない。
　しかし後ろ足軸に棒を回転させるとすれば、求心力を創出す
る為には、この方法が適当であると考えたのであろう。棒術的
思考法から抜け出せない。
　前挙動が「手刀受け」という両腕同時同方向運動で上体が閉
じている為、この場面を行なうには、一度上体を開かねばなら
ず、両腕を左右に開き分ける予備動作を設定してからの「手刀
払い」である。仮に前挙動が右拳右腰位置での、上体開き分け
行為による左片腕での「左手刀受け」であったならば、この場

面へと「イチ」「ニッ」の連続動作で移行できたのである。

　次に「右前蹴り」を行なうが、両足が近接した「交叉立ち」で行なわれる為、前足への重心移動が不充分であり、更に、両腕が「手刀払い」行為により高い位置に存在する為、上体は反り返り姿勢となっており、この姿勢での「前蹴り」は足を振り上げる形にしかならない。

　両腕を額前に翳^{かざ}し、足を振り上げた姿勢で次の「裏拳顔面打ち」への移動の為にスタートするには、「交叉立ち」である軸足の右足で床を蹴り跳び出すしかないが、上体反り返り姿勢からの床を蹴ってのスタートは更なる反り返り姿勢を創り出す。

　この姿勢での移動の最中、額前に存在する右腕を更に引き上げ「右裏拳打ち」の準備体勢を創ろうとするが、床を蹴ってのスタートであり、移動時の反り返り姿勢、両腕の位置、「裏拳打ち」の振り被り行為、これらの行為のどこにも「技」を行なうエネルギーを立ち上げる要素は存在しない。

　よってこの挙動は、棒術動作としても素手武術としても有り得ない運動法を用いた駄作挙動である。

第27挙動　後ろの左足から後方（南）へ退き「右足前猫足立ち・
　　　　右外受け」を行ない、その場での「左逆突き・右順突き」
　　　　の連続突きを行なう。

27-① 27-② 27-③

不可。前挙動「右足前交叉立ち・右裏拳顔面打ち」終了姿勢の
前足で床を蹴り返して後退し、「右足前猫足立ち・右外受け」
を行なうが、この行為は左足の後退運動による右肩の左回転運
動を切り返しての右腕の振り出し運動である為、「引いて」「出
す」の二挙動動作による上体開き分け行為で行なわれている。

　この「右外受け」の腰の右回転運動により、次の「左逆突き」
を行なう為の腰の「タメ」は存在し得ない筈である。つまり威
力を伴わない「左逆突き」の形であるが、この挙動は次の「右
順突き」の予備動作の形となり、この行為による腰の捻り戻し
運動により、次の「右順突き」は行なわれている。

　「猫足立ち」である為、前足への重心移動のない、後ろ足を
軸とした腰の回転運動による両腕の前後運動、「デンデン太鼓
運動」に過ぎない。

第28挙動　北向きの「右足前猫足立ち」で、前足の右膝を吊り上げ上体を後方傾斜させ、左掌と右拳を吊り上げた右膝上で弾(はじ)くように打ち合わせ、その勢いで左足軸に180度左回転し、両手を床につき、正面（南）向きの右膝を立てた、伏せた姿勢となり、左足は後方（北）へ伸ばす。左肩越しに後方を見る。

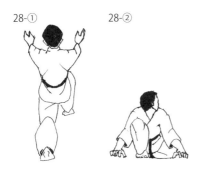

28-①　28-②

不可。「猫足立ち」の前足膝を吊り上げ、その膝上で拳と掌を打ち合わせるという行為は、全くの芸能挙動であり、「小林流」の思考法が良く分かる場面である。

「松林流」は「パッサイ」同様の回し蹴りに近い「足裏受け」を設定する事から、そちらが原型かと思われる。

「小林流」の場合、回転動作の直前に上体を後方へ反らすという奇抜な行為を設定した為、円滑な回転運動に繋げる事ができない。この事が現代では空中に飛び上がってから伏せるという曲芸挙動に変化しており、空手道選手権大会などで見る事ができる。

第29挙動　右足軸に立ち上がり、北方向きで「左足前猫足立ち・左手刀受け」を行ない、更に一歩踏み出し「右足前猫足立ち・右手刀受け」を行なう。

不可。前挙動の伏せた姿勢から右足軸に立ち上がり、北向きの「左足前猫足立ち」となるにはどのように立ち上がるべきかを両流派共に知らな

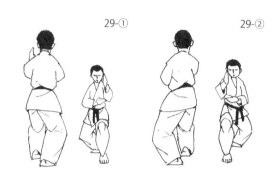

29-①　29-②

い為、漠然と立ち上がり、立ち上がった後、一時停止状態に陥る。

　「小林流」の場合、立ち上がり、北方向き「左足前猫足立ち」となり、「左手刀受け」を行なう為に後ろ足である右足を踏ん張る事により上体を撓らせ、左手を右耳横へ引き付け、それからの「左手刀」振り出し行為である。挙動と挙動との繋ぎ方こそが「型」であるに、このような挙動設定法により、馬脚を露呈した。

　「松林流」は「右手刀受け」の一動作である為、右足前の「四股立ち」へと立ち上がるが、「小林流」は左、右と進む為、「松林流」とは逆向きとなっている。

第30挙動　前挙動「右足前猫足立ち・右手刀受け」の前足軸
　　　　に270度背面回転し、東向き「左足前猫足立ち」となりつ
　　　　つ「左外受け」を行なう。
　　　　　次にそのままの姿勢で寄り進み、「左足前猫足立ち・右
　　　　逆突き・左順突き」の連続突きを行なう。

30-①　　　　　30-②　　　　　30-③

不可。相手の攻
撃から目線を切
り、背面回転運
動しつつの「外
受け」挙動設定
には無理があ
り、格闘技で言
えば、「バック
ハンド・ブロー」という奇襲攻撃同様の運動法である。

　背面回転運動「左外受け」を行ない居着いた為、一時停止状
態となり、改めて「左足前猫足立ち」の後ろ足である右足で床
を蹴り前進するが、「左外受け」完了姿勢の「ナンバ構え」の
ままでの前進運動を行なう事から、棒術挙動である事が分か
る。

　「左外受け」は右腕との上体開き分け運動で行なわれる為、
上体は既に右方向へ開かれており、次の「右逆突き」の為の上
体捻り行為の予備動作が設定できない。

　しかも、「左外受け」終了の左腕が、立てられた構えのまま
である為、上体撓り行為も設定できず、八方塞がり状態で移動
完了する。

　仕方なく移動完了後、「左足前猫足立ち」停止姿勢で「外受
け」の「引き手」として右腰に構えた右拳を突き出し「右逆突

160

き」。この右腕をボクシングのジャブ同様に捉え、右腕の引き戻し運動を利用して腰を右回転させ「左順突き」を行なうという、その場「デンデン太鼓」運動による「連続突き」であり、下半身の力は全く使われてはいない。

第31挙動　前の左足軸に180度右回転し西向き「右足前猫足立ち」になると同時に「右外受け」を行なう。

　　　そのままの構えで前進し、「左逆突き・右順突き」を行なう。

31-①　　31-②　　31-③

不可。前挙動が東向きであった為、芸能意識による左右対称挙動設定の為にこの場面を創作したのであろうが、前挙動「左足前猫足立ち」姿勢から右回転運動を行なう為には前足踵下ろし、これに重心移動をしてからでなければ行なえず、武術的運動法を無視してまで左右対称挙動設定に拘(こだわ)っている。

　階段上り同様のこの行為を行えば、東方向への移動エネルギーが働き、頭部が若干、東方向へ移動する。この運動を切り返しての西方向への回転動作であるから、この「手刀受け」は棒術の振り回し行為同様の運動法となり、「右払い打ち」の設定も可能な場面となる。これは「手刀受け」とは異なる運動法となるが、空手家にとっては「突き出し運動」も、「払い出し運動」も、同様の運動法である。つまり、「猫足立ち」の後ろ

足は「突き出し運動」も回転運動の「振り出し運動」も可能にする構造であると捉えているのである。

第32挙動　後ろの左足軸に北方へ「右拳払い打ち・右横蹴り」を行ない、正面（南）方向へ「左足前猫足ち・左手刀受け」を行なう。

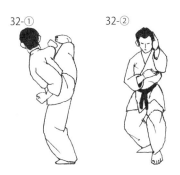

32-①　　32-②

不可。第9挙動の繰り返しである。

　前挙動「右足前猫足立ち」の前足引き寄せての行為である為、やはり背面方向へ引かれるエネルギーが存在し、それを切り返しての行為となる。後ろ足には前足を引き寄せる力が働いている為、「横蹴り」を行なう為にはスクワット運動の予備動作を設定せねばならなくなる。

　演武方向意識から挙動の武術的構造を無視しているが、「右足前猫足立ち」から行なえる「右横蹴り」とは、前足踵踏みつけ行為による北方への「右横蹴り」である。「猫足立ち」の前足踵を踏み付ける力により後ろ足引き寄せ、それからの、北方への「右横蹴り」挙動を設定すべきであり、それからの南方向への「左手刀受け」とすべきであった。

　「型」学習の目的とは挙動の「カタチ」や「順序」を覚える事ではなく、こういう無駄のない挙動移行の運動法を学ぶ事である。

第33挙動　正面（南）方向へ右足大きく踏み出し、「右足前掛け足立ち」となり、「右貫手（ぬきて）」を行なう。前腕下に左手刀を添える。

不可。両腕同時同方向であり、次挙動との兼ね合いからも、棒術挙動である事が分かる。

33

前挙動「左足前猫足立ち」姿勢で右腰に手刀を引き付けつつ、前足踵を着地させてこれに重心移動して「タメ」を創り、軸足で床を蹴り跳び出す。「貫手」という指先を突き込む動作に、これ程大袈裟な移動法は必要ない。

軸足で床を蹴りスタートした為、突き込むエネルギーが存在せず、「掛け足立ち」での急ブレーキ行為による慣性運動利用の挙動であり、役には立たない。

第34挙動　正面（南）向き「右足前掛け足立ち」から右足軸
　　　に360度左回転。回転途中、右奥襟付近で右拳を握り、右
　　　脇付近で左拳を握る。
　　　「左足前猫足立ち」となり「左拳払い打ち」。「払い打ち」
　　　終了姿勢のまま寄り進み「左裏拳打ち」を行ない、その場
　　　で「右肘当て」を行なう。

34-① 34-② 34-③ 34-④

不可。明らかな棒術動作であるに、そうであるとの説明はなさ
れぬままであり、何をしているのか分からぬままの稽古を続
け、それでも「継続は力」などと言っている。猛省すべきであ
る。
　右足軸に左回転しつつ左肩に棒を担ぎ、「左足前猫足立ち」
となりつつ棒を振り出した。
　次動作も「裏拳打ち」ではなく、棒を立てて構え移動しただ
けであり、この行為で次の棒術「横打ち」のエネルギーを立ち
上げた挙動なのであろう。それを、回転し、後ろ足重心での
「払い打ち」とし、終了姿勢のまま「ナンバ構え」で前進して
の「左裏拳打ち」とした。しかし、左腕は「払い打ち」終了姿
勢のまま体前に存在しており、「裏拳打ち」の為には、伸ば
れている左腕を一度引かねばならない。しかし「左払い打ち」

終了姿勢は右拳を右腰に引き付けた為、上体は右方向へ開かれており、この構えでの左腕引き付け行為は辛い。仮に右腕を振り上げるのであれば可能であった。

そして移動完了し定位置での「肘当て」である。この挙動により、「ナイハンチ」以来の「肘当て」とは棒術「横打ち」である事が分かる。

第35挙動　その場にて前の左足軸に振り返り、北向きの「右足前猫足立ち」となり、左腕は後方への「右上段外受け」、左腕は前方への「左中段外受け」を行なう事で両腕開き分けて構える。

不可。棒を斜めに構えた姿勢であろう。

35

第36挙動　右足軸に右回転し東向き「四股立ち」となりつつ、左拳を掬うように金的位置へ移動させ、次に、同じく右拳を左拳の内側へ掬うように振り落とし、両手首交叉させる。

36-①　36-②

不可。連続の棒術動作と思われる。前挙動の右拳を支点にし、棒の左半分を振り落とし、連続しての右半分の振り落としと思われるが、「松林流」では両腕による「連続内受け」であるから、やはり棒術が考えられる。

しかし両流派ともに、次挙動では両手首を交叉させている事から、ここからは素手武術の導入と思われる。

第37挙動　東向き「四股立ち」のまま、手首交叉の両拳を手刀にし、顔面前へ移動させて構える。

37

不可。次挙動の回転運動を容易にする為に、身体を一つに纏める行為で、「チントウ」でも用いられている。

第38挙動　手首交叉のまま両腕下降させ、右足軸に270度右回転する。回転運動に伴い、両腕は下方から上昇し、北向きの「右前屈立ち」で顔面前へ位置する。

不可。この回転運動の目的は、「前屈立ち」の前足である右足へのエネルギーの絞り込みであり、「チントウ・第6挙動」もこれと同じ行為であったと考えられる。
　「松林流」は「前屈立ち」を「猫足立ち」としている

38-①　38-②

が、その方が次の跳躍運動が容易だからである。しかしそれでは回転挙動設定の意味がなくなる。この回転動作は「陳家太極拳・翻身二起脚」つまり、「跳び二段蹴り」直前挙動と全く同じ形である。

第39挙動　両手首交叉のまま、手刀を拳に替える。

不可。ここまでの細切れ挙動解釈による停止姿勢の連続でエネルギーを消失しており、両手首交叉で拳を握る「チントウ」同様の挙動を行なったとて、最早、跳躍動作のエネルギーは立ち上げられない。
　「松林流」の「猫足立ち」姿勢とは異なる為、助走を用いられず、「前屈立ち」の前足で跳躍するしかないが、断続挙動解釈により、「前屈立ち」の右足は最早、エネルギーを持たず、次挙動「二段蹴り」の軸足とは成り得ない。

39

第40挙動　北向き「右足前前屈立ち」から跳躍し、左足蹴り
　　　　上げ、空中にて右足を蹴り上げる「二段蹴り」を行なう。
　　　　着地と同時に「右裏拳打ち」を行なう。

40-①　　40-②

不可。何故か「剛柔流・スー
パー・リンペー」にも同様の挙
動があり、中国拳法「八極長拳」
にも「換歩弾踢(かんぼだんてき)」という同じ挙
動がある。「前屈立ち」の後ろ
足で床を蹴り跳び上がっている
が、この行為を行えば空中姿勢
は顎(あご)の上がった反り返り姿勢と
なり、次挙動を行なうエネルギーは存在し得なくなる。
　「松林流」は「猫足立ち」を設定し、後ろ足から前足への助
走を利用しての跳躍であるが、意外にもこの行為による空中姿
勢は「小林流」よりも上出来である。

第41挙動 「右足前猫足立ち」姿勢での着地後、前足の右足軸
　　　　に180度右回転。正面（南）向き「四股立ち」となりつつ、
　　　　「裏拳打ち」終了の右拳を回転動作と共に下方から掬い上
　　　　げ、右肩付近に突き上げる。左拳は左腰に引く。

不可。下品な挙動である。「松林流」にこの挙
動は存在せず、立派に構え、残心を表現して終
了している。「小林流」は正中線丸出しの威嚇
姿勢での終了であり、残心という武術の心構え
も表現できずにいる。首里武士の名を汚す挙動
と言える。

41

第42挙動　南向きで「外八字立ち」に立ち上がり、両拳鼠蹊
　　　　部位置にて終了。

42

▲結論
　これは武術型ではない。「舞踊」、「芸能」であり、剣術に対
する「剣舞」と言えよう。昔は三味線の音に合わせて演武した
という話であるが、頷ける。

169

現代体育的運動法で創られた危険な型であり、この型の稽古を続ければ、武術的身体操法を理解できない体が創られる事は必至である事から、注意すべき型である。

型検証終了。

島田　憲（しまだ・ただし）

1954年、沖縄県那覇市生まれ。
少年期より柔道を学び、以後フルコンタクト
空手、沖縄空手修行の後、気功太極拳を学ぶ。
退職後、本土にて陳家太極拳を学ぶ。
帰沖後、十三勢太極拳研究の傍ら、執筆活動
を開始。著書に『琉球武術「首里手」の構造
解明』（新星出版、2015年）、『太極拳の真実
と「十三勢」』（同、2019年）。現在に至る。

「首里手」の構造解明の極

2020年6月5日　初版第1刷発行

著　者　島田　憲
発行所　新星出版株式会社
　　　　〒900-0001
　　　　沖縄県那覇市港町2－16－1
印刷所　新星出版株式会社